DIÁRIOS DE RAQQA

SAMER

DIÁRIOS DE RAQQA

A história real do estudante que desafiou o Estado Islâmico, foi jurado de morte e conseguiu fugir de uma cidade sitiada

Ilustrações: Scott Coello

Tradução: Fábio Bonillo

GLOBOLIVROS

الطغاة يجلبون الغزاة
ابن خلدون

Os tiranos atraem invasores.

(Ibn Khaldun, historiador árabe do século XIV)

Nas áreas que o chamado Estado Islâmico* controla na Síria e no Iraque, o castigo para quem se comunica com a mídia ocidental é a decapitação. O fato realça não só a bravura, mas também a determinação dos ativistas contrários ao Estado Islâmico, como o corajoso autor destes diários.

Quando Samer (pseudônimo) começou a escrevê-los, vivia em Raqqa, a capital do autoproclamado "califado" do Estado Islâmico na Síria oriental e uma das cidades mais isoladas do mundo. Lá, as conexões de internet nos cafés são monitoradas de perto pelo Estado Islâmico, e as linhas de telefonia móvel são de fácil rastreamento. É quase impossível que jornalistas estrangeiros como eu consigam lá penetrar, e aos habitantes locais é proibido sair sem autorização. Alguns dos que foram pegos acabaram executados. Mas, após vários meses de conversas tensas e frequentemente interrompidas, enfim conseguimos fazer contato com um pequeno grupo de ativistas em Raqqa chamado Al-Sharqiya 24. A confiança mútua construiu-se lentamente, e por fim um de seus membros concordou bravamente em escrever um diário pessoal contando suas experiências recentes na cidade. Seguiu-se assim um extraordinário e arrepiante vislumbre de como a brutalidade e as injustiças perpetradas pelo Estado Islâmico permeiam quase todos os âmbitos da vida em sua agora infame capital.

Para ajudar a resguardar Samer, suas palavras foram criptografadas e enviadas a um terceiro país, antes de serem repassadas à BBC. Nomes e outros detalhes foram alterados pelo mesmo motivo.

Levar os diários para fora de Raqqa foi uma experiência na maior parte das vezes eletrizante. Às vezes, por dias a fio, não

* Também referido neste livro como Daesh (sigla de "Estado Islâmico do Iraque e do Levante", em árabe).

recebíamos respostas de nosso autor e seu grupo. Era comum que meus colegas e eu nos pegássemos imaginando se haviam todos sido capturados pelo Estado Islâmico. Era uma sensação horrível. Em dada ocasião, nos chegaram notícias de que dois ativistas contrários ao Estado Islâmico que haviam conseguido cruzar a fronteira com a Turquia foram decapitados. A princípio receamos que um deles pudesse ser Samer. Felizmente, obtivemos contato com ele no dia seguinte.

Boa parte da cobertura midiática sobre a Síria inevitavelmente destacou o lado político e militar do conflito, relegando a maneira como ele afetou a vida cotidiana das pessoas. Isso agrava a dificuldade dos observadores remotos em entender o sofrimento que a situação causa aos civis. Também agrava a nossa dificuldade em identificar-nos com esses indivíduos de quem só ouvimos falar, ainda que compartilhemos as mesmas esperanças, necessidades, sonhos e medos. E é de uma maneira extraordinária que os relatos pessoais do autor destes diários preenchem esta lacuna.

Eu costumava questionar o que leva alguém a falar da maneira como falou Samer, sabendo que, ao fazê-lo, arrisca não somente a própria vida, mas a de todos aqueles que ele estima. A resposta torna-se clara na leitura destes diários. Depois de ter visto amigos e parentes sendo trucidados, a vida de sua comunidade estilhaçada e a economia local arruinada por famigerados extremistas, nosso corajoso autor crê estar revidando ao contar ao mundo o que está acontecendo à sua amada cidade.

As corajosas palavras de Samer afetaram-me profundamente. Mesmo separados por milhares de quilômetros, sinto que sua família tornou-se também a minha, seus amigos tornaram-se meus amigos e seu mundo assustador tornou-se o mesmo em que eu vivo.

Mike Thomson

Correspondente estrangeiro da BBC

Agosto de 2016

Ativistas de mídia são o espinho no flanco dos atuais tiranos da Síria. O regime de Assad, que oprimiu os sírios nos últimos quarenta anos, permitiu que os invasores, o Daesh, impusessem um igualmente perverso regime de terror ao povo sírio. Não é de admirar, portanto, que esse regime tenha aprisionado e torturado milhares de ativistas de mídia e que o Daesh dedique seu tempo e sua mão de obra a caçá-los e conceber maneiras extremas de matá-los.

Enquanto o regime sitia fisicamente aldeias e cidades, o Daesh sitia as comunidades cortando-lhes a comunicação com o mundo externo. Limita a cobertura dos telefones móveis, monitora a internet nos cafés, proíbe o uso de 3G, supostamente instalou escutas nas chamadas de telefone fixo, impede o acesso a jornais e agora passou a destruir antenas parabólicas; não deseja que as histórias dos outros sejam conhecidas. Como resultado, o Daesh domina, dentro e fora, o cenário midiático. São apenas os corajosos ativistas que suplantam o monopólio do Daesh arriscando a própria vida para divulgar a verdade ao resto do mundo. Esses, porém, são poucos. Caso o embargo à comunicação fosse quebrado, as pessoas que vivem no território dominado pelo Daesh teriam acesso ao mundo exterior, e vice-versa. Sua presença na internet forneceria aos jornalistas uma narrativa alternativa, diluiria a eficácia da propaganda do Daesh e exporia suas mentiras.

Dedicamos este livro aos ativistas de mídia sírios, em memória aos amigos que foram mortos ao tentar expor a tirania. Que Alá os proteja. E, para aqueles de nós que prosseguimos com este trabalho corajoso, que continuemos em segurança e tenhamos êxito. Apenas através da perseverança é que alcançaremos os objetivos da revolução, os quais costumávamos cantar nas ruas em 2011: “Liberdade, dignidade, justiça”.

Al-Sharqiya 24

Agosto de 2016

Sou apenas um dos muitos que
continuam a sofrer nas mãos do regime sírio
e de sua cria, o Daesh.

Samer

6 de março de 2013

Certa manhã, todos na cidade acordaram ao som de explosões e disparos. Meu Deus, eu pensei, o que está acontecendo? Será que a revolução contra o governo finalmente chegou?

Então ouvimos gritos e batidas frenéticas na porta de nossa casa. Quando meu pai a abriu, nosso vizinho lhe agarrou o braço e gritou a plenos pulmões: "Aconteceu! Aconteceu! Os rebeldes entraram na nossa cidade... Eles tomaram o poder!".

Meu pai perguntou se ele estava brincando. Mas nosso vizinho insistiu que a polícia e o exército não existiam mais; alguns soldados haviam sido mortos, mas o resto simplesmente tinha fugido. Não se encontrava mais na cidade.

Não pude acreditar no que estava ouvindo. Saí correndo porta afora e vi carros passando a toda velocidade com a bandeira do Exército Livre da Síria. Um deles logo parou bem na minha frente. Um homem inclinou-se na janela e me disse que não era para eu ter medo. Disse que ele e seus colegas soldados haviam vindo nos libertar da tirania e da corrupção. "Somos todos irmãos", acrescentou.

Perguntei se eu ainda poderia voltar à universidade e terminar meus estudos. Ele respondeu que sim, que tudo ficaria bem assim que se livrassem dos tiranos. Minha cabeça estava girando, eu não podia crer que tudo aquilo estava acontecendo.

Em algumas horas, tudo ficou claro. O Exército Livre da Síria, o Ahrar al-Sham e a Frente Al-Nusra haviam assumido o controle da nossa cidade.

De noite, ainda muito agitado, me encontrei com meus amigos. Sentamo-nos e discutimos o que fazer a partir de então. Todos concordamos que devíamos dar total apoio ao Exército Livre da Síria, já que eram todos sírios como nós e compartilhavam nossos desejos. Todos queríamos nos ver livres do regime de Assad. Mas não sabíamos o que dizer a respeito dos dois grupos islâmicos — o Daesh e a Frente Al-Nusra — que haviam ajudado a libertar nossa cidade. Estávamos um pouco receosos em relação a eles.

Eu nunca vou me esquecer da primeira vez que o Daesh apareceu nas ruas de nossa cidade. No começo, forças de oposição cercaram os combatentes que ocuparam os prédios do governo. Estávamos otimistas. Mas então tudo mudou. O Exército Livre da Síria começou a fraquejar. Ocupava-se de combater o regime em outras partes, e suas forças em Raqqa minguavam mais e mais. Seus soldados eram atingidos por seguidos ataques aéreos do governo. O Daesh revidou, rompeu o cerco do Exército Livre da Síria e rapidamente tomou nossa cidade indefesa.

Aproveitou-se de nossa confusão e ignorância e começou a persuadir o povo a juntar-se às suas fileiras. No começo, os militantes cativavam as pessoas com uma fala dócil, prometendo-lhes de tudo. Mas eu não engoli nada disso.

Há dois tipos de membros do Daesh: os que realmente acreditam que vieram nos salvar e estavam entre os primeiros a entrar na cidade; e um segundo tipo, muito mais violento.

A primeira vez que vi a Hisba — a polícia religiosa do Daesh — patrulhando as ruas, estavam gritando com uma mulher que tinha puxado a filha de volta à calçada depois que a garotinha saíra correndo em direção à rua. A mãe tinha aparência muito decente, de acordo com os usos locais. Trajava uma *abaya** e um *hijab*,** mas a polícia a xingava e questionava sua honra por não

* Traje comprido e folgado no corpo.
** Tradicional cobertura dos cabelos e do pescoço.

estar usando um véu no rosto. Os policiais usavam palavras que a maioria de nós se envergonharia de repetir. Como ousavam dizer que eram religiosos?, eu me perguntava.

A mulher ficava cada vez mais assustada e tentava fugir deles. Dizia que apenas queria levar a filha para casa, mas eles não a deixavam em paz. A essa altura, havia alguns sírios por perto; estávamos todos em choque, mas não arriscamos abrir a boca. Foi então que Abo-Saeed resolveu intervir. Desde que se aposentara havia uma década, ele era o muezim* da mesquita que havia nas redondezas. Em toda a cidade as pessoas estavam habituadas a ouvir sua voz nos alto-falantes. Se não o ouvíssemos de noite chamando para a reza, imaginaríamos que algo ruim teria lhe acontecido. Agora ele estava falando aos berros, exigindo saber se aquela era a mensagem sagrada que eles estavam tentando propagar. "Acreditem", dizia ele, "vocês não têm nada a ver com o Islã." Ele era popular, e o povo começou a juntar-se em volta dele. Ficar atrás do nosso muezim nos fazia sentir mais corajosos, conforme ele investia contra esses estrangeiros que, do nada, haviam aparecido em nossa cidade. Por fim, Abo-Saeed ficou tão exaurido que sofreu um ataque cardíaco ali mesmo, na rua. Enquanto alguns espectadores o carregavam até um carro e disparavam até o hospital, começamos a avançar. Logo, uma turba furiosa estava cercando a patrulha do Daesh. Claramente receosos do que poderia acontecer, os homens escapuliram correndo.

"O que foi que os trouxe até aqui?", ouvi alguém perguntar. Consentimos que não os desejávamos em nossa cidade. Um homem na minha frente exclamou a todos que não deveríamos dizer tais coisas. Alertou que o Daesh agora tinha espiões por toda parte. "Não ouviram o que aconteceu ontem à noite?", disse. "Decapitaram um sujeito na praça Naeem porque estava fazendo críticas a eles." Ignorando o aviso, uma voz ardente atrás de mim gritou: "Essa gente vai nos devolver à Idade das Trevas!".

Eu me pergunto o que o Daesh vai fazer em seguida. Primeiro toma nossa cidade, depois ordena o que as pessoas devem vestir,

* Aquele que é escolhido para dirigir e recitar o chamado à reza na mesquita.

instaurando uma polícia religiosa e reforçando a lei da Sharia.* E amanhã, o que diabos inventará?

O Daesh começou a se vingar de todos os seus oponentes, perseguindo revolucionários e outros ativistas e seus apoiadores. Acusa-os de apostasia, o que não passa de mais uma desculpa para as execuções. Todo dia o Daesh reúne uma multidão na praça, como se estivesse prestes a ensaiar uma peça de teatro. Também inflige algumas dessas brutais punições bem no meio de rotatórias de ruas movimentadas. O grupo está determinado a mostrar ao máximo de testemunhas o que pode acontecer àqueles que o contestam.

Não consigo acreditar no que está acontecendo. A cada dia que passa a arrogância do Daesh se agrava e seu domínio malévolo na cidade se aperta. No momento não há maneira nenhuma de desafiar seu controle. Eles tomaram muitas armas dos soldados derrotados de Assad, os quais são com frequência levados a desfilar pelas ruas e depois assassinados. O Daesh os prende e em seguida os reúne em grande número. Os homens do Daesh os perfilam e os fuzilam. Seu objetivo é instilar medo no coração dos espectadores para que não ousem desafiar seu império de terror.

As coisas aqui ficam cada vez piores, cada vez mais sombrias. É o pior período da história de Raqqa. O otimismo morreu.

Nos alto-falantes, ouço que algumas pessoas estão prestes a ser executadas. De pé, há um grupo de homens com os olhos

* Criada centenas de anos após a morte do profeta Maomé, a Sharia é o sistema de leis que regem a vida de um muçulmano. Nela há princípios fixos, que versam sobre questões mais pessoais, como casamento, ritos religiosos, heranças etc., e princípios mutáveis, como, por exemplo, penas para diferentes tipos de crime, que podem ser interpretadas e aplicadas de acordo com a vontade de cada país ou corte. (N. E.)

vendados. Na frente deles, um homem mascarado começa a ler suas sentenças.

Hassan lutou ao lado das forças do regime. Sua punição será a decapitação.

Eissa, um ativista de mídia, é acusado de falar com estrangeiros. Sua punição: decapitação.

Um homem com uma espada realiza as execuções.

Estamos incapacitados de fazer qualquer coisa em relação ao que acontece diante de nossos olhos. É muito perigoso dar vazão aos nossos verdadeiros sentimentos, porque o Daesh está vigiando a multidão. Estamos desesperadamente cercados. Encaro os rostos à minha volta, tentando ler os pensamentos que há por trás de tantos olhos tristes e calados. Em alguns, vejo raiva. Esses rostos irados encaram o carrasco, sem dúvida planejando a vingança que lhe perpetrarão assim que surgir a oportunidade. Muitos estão à espera da centelha que irá deflagrar o levante contra aquele homem e todos os assassinos do Daesh.

Por ora, o povo está se contendo por causa do medo, mas certamente não será por muito tempo. Enquanto me perco em pensamentos, algumas pessoas atrás de mim começam a se despegar da multidão, desesperadas para abandonar a cena sem que sejam notadas. Contudo, isso é arriscado demais. O Daesh está resolvido a garantir que todos nós assistamos aos assassinatos.

Ouvi o nome de um vizinho meu ser chamado nos alto-falantes. De alguma maneira, não consegui evitar ir até lá. Sua cabeça decapitada estava no chão. Não consegui me manter de pé; minhas pernas simplesmente não me suportavam. Não consigo tirar essa imagem da cabeça.

Enquanto eu caminhava na rua, xingando bem alto, um grupo da polícia religiosa do Estado Islâmico se acercou e me agarrou. Levaram-me ao seu quartel-general. Tentei argumentar, mas de nada adiantou. "Você estava blasfemando em voz alta. Sua punição serão quarenta chibatadas."

Sem misericórdia ou humanidade, um homem me chicoteou. Pude ver em seus olhos que ele se orgulhava disso.

Quando cheguei à porta de casa, desabei. Após ouvir o que acontecera comigo, minha irmã, que estava grávida, entrou em choque e começou a sangrar muito. Sabíamos que precisávamos levá-la rapidamente a um ginecologista, mas, ao chegarmos à clínica, a encontramos fechada. Um homem postado do lado de fora me contou que o médico, que por anos havia sido seu vizinho, fora preso pelo Estado Islâmico e tivera sua clínica fechada. Era agora proibido que médicos homens tratassem pacientes mulheres.

Enquanto alguns membros do Daesh ocupam-se de executar pessoas por motivos torpes, outros dedicam seu tempo a criar ficções. Provocam as pessoas para extrair alguma reação. Então castigam qualquer um que os contrarie ou critique. Cada vez que o Daesh inaugura um novo capítulo em seu livro de horrores, troca seus líderes e os encarrega de infligir as bárbaras opressões que têm em mente.

A caminho de casa, topei com meu amigo Abu-Muhammed, que é dono de uma loja. Ele apontou para uma loja do outro lado da rua, de propriedade de um homem que conhecemos há muitos anos. Falava com um grupo de homens do Estado Islâmico. Um deles segurava nas mãos um maço de documentos. Ao cruzarmos a rua na sua direção, o grupo passou para a loja ao lado.

"Ei!", gritou-nos um dos homens. "Quem é o dono dessa loja?"

Abu-Muhammed respondeu que era ele o dono.

"Somos da Zakah", disse o homem. A Zakah devia ser uma instituição de caridade, mas atua como uma espécie de cobradora de impostos para o Estado Islâmico. "Viemos buscar o dinheiro que você nos deve."

Abu-Muhammed ressaltou que já havia pago tudo o que era devido.

"Cale-se!", berrou o homem do Estado Islâmico. "Você nos deve cem mil libras sírias."

Abu-Muhammed indignou-se com a vultosa quantia. Mas concordou em pagar assim que pudesse.

As cabeças decapitadas de quem contrariou o Estado Islâmico estão penduradas nas cercas dos parques e nos postes de luz. Servem como um aviso brutal.

Naquela noite, nossa casa foi abalada por explosões. Vi bombardeiros voando bem alto no céu. Liguei a televisão e ouvi a notícia de que uma coalizão internacional estava lançando seus primeiros ataques aéreos contra o Estado Islâmico.

No dia seguinte, havia um número incomum de membros do Daesh nas ruas. Um taxista me avisou para tomar cuidado. Contou-me que os aviões da coalizão haviam atingido muitos prédios do Daesh naquela noite. Sofreram muitas baixas e estavam à procura de civis que pudessem ter orientado os aviões até os alvos.

O taxista estava prestes a sair dirigindo quando um homem gritou: "Pare! Pare!". Era um membro do novo controle de tráfego. Agora eles estão por toda parte. Ele berrou para o motorista, exigindo que lhe mostrasse sua habilitação e o documento do seguro. O taxista mostrou-lhe sua habilitação, mas não tinha um seguro. Faz mais de dois anos que os motoristas locais não conseguem obter um.

"Sem seguro?! Pague imediatamente a multa", disse o controlador de tráfego, "ou vou apreender seu carro."

O motorista foi coagido a lhe entregar cinco mil libras sírias. Conforme me contou, isso era mais do que ele ganhava em uma semana de trabalho. "Não estão nem aí para o tráfego", resmungou. "Estão é interessados em nos rapar."

Uma multidão havia se reunido ao redor de um buraco profundo. Lá dentro, havia uma mulher agachada. Perguntei às pessoas quem ela era e o que fazia ali.

Antes que me chegasse alguma resposta, um enorme homem mascarado declarou: "Esta mulher é uma adúltera, e sua punição será o apedrejamento até a morte".

Suas palavras foram interrompidas pelo ruído de aviões passando no céu. Um vendedor ambulante gritou: "Escondam-se! Escondam-se!".

O mercado foi atingido. Houve enormes explosões, e pedaços de corpos voaram por toda parte. Era um ataque aéreo russo que supostamente mirava os terroristas.

Já não basta o terrorismo que sofremos em terra? Agora vocês também o trazem pelos ares.

Agora há massacres diários por toda a Síria. A morte vem em bombardeios, ataques de foguete e toda espécie de arma. O constante zumbido de aeronaves sobre nossas cabeças destrói todo o nosso ânimo. Tudo é sangue e morte, exceto o regime. Ele se alimenta de escuridão e fica cada vez mais forte. A maioria dos residentes de Raqqa não consegue entender o que aconteceu. É de atordoar. É muita coisa para qualquer pessoa sã tentar entender.

Meus irmãos, minhas irmãs e eu tínhamos planejado uma pequena festa de Dia das Mães. Era uma fria manhã de março, e eu ouvi o som de aviões de guerra. Imediatamente rumei para casa.

Conforme o táxi se aproximava, nuvens de fumaça preenchiam o ar.

Os aviões do regime atacaram nossa rua. O teto da casa de nosso vizinho desabou sobre o nosso. Havia ambulâncias em todo lugar, e pessoas carregando os mortos e os feridos às pressas.

Um dos meus vizinhos me disse que meus pais se feriram e foram levados ao hospital. É impossível descrever o que senti. A julgar pelo estado de nossa casa, eu esperava o pior. O andar de

cima estava completamente destruído, e o térreo estava muito avariado. A casa do vizinho se encontrava em estado similar.

Quando meus irmãos, minhas irmãs e eu chegamos ao hospital, o cheiro de sangue e morte dominava o lugar. Pediram que conferíssemos os corpos dispostos no chão à nossa frente em busca de nossos pais.

Eu estava num estado de tamanho choque naquele momento que, de repente, não conseguia me lembrar de mais nada. Quando fiquei ao lado de meu pai, foi como se tudo o que tivesse acontecido antes daquilo não importasse. Ali estava meu pai. Seu corpo estava cravado de ferimentos. Haviam coberto a maior parte de seu cadáver com um lençol branco, mas seu rosto estava à mostra. Pude ver o sangue de inúmeros cortes vazando através do lençol — o sinal delator de feridas de estilhaço.

Fui tomado por uma sensação de absoluta solidão e desabei no chão. Eu havia perdido meu mentor, meu guia na vida, o homem que sempre tinha uma resposta para tudo. Aquele foi um dos momentos mais sombrios da minha vida. A morte do meu pai continua a me assombrar. Algo em mim mudou.

"Sua mãe está sendo tratada aqui", disse alguém em voz baixa, "mas espere um pouco para entrar."

Decorreram duas horas, e finalmente saiu um médico. Contei-lhe que eu era o filho. "Consegui salvar a vida de sua mãe, mas ela está muito mal", disse ele.

Após o funeral de meu pai, o querido e generoso amigo da família Abu-Muhammed uniu-se aos nossos vizinhos para ajudar a reparar nossa casa avariada pelas bombas. Um deles nos cedeu um pouco de cimento e outro forneceu vigas de metal, que nos permitiram reerguer dois cômodos e consertar o pátio externo. Partes da casa estavam tão avariadas que não nos foi possível salvá-las, mas conseguimos tornar habitável a maior parte dela.

A saúde de minha mãe estava se deteriorando, e, enquanto permanecíamos na casa de amigos, ela se sentiu muito débil e vulnerável. Ficou aliviadíssima por podermos voltar a morar em nossa casa.

Nossa vida na Síria, com toda a sua simplicidade e seus sonhos inocentes, é fruto da criação de nossos pais e suas famílias. Fomos educados da mesma forma que eles e percorremos o caminho que trilharam. Todos sonhamos que as coisas vão melhorar, que virá um futuro cheio de beleza e vida e tudo o mais que a existência pode nos oferecer. Porém, em nosso país científica e tecnologicamente atrasado, tais esperanças não raro acabam em decepção.

Pouca coisa aconteceu no período entre o fim da minha infância e o começo da minha vida adulta. Não foi uma época muito empolgante. Continuei meus estudos e terminei o ensino médio com notas muito boas. Ingressei então na universidade. Embora gostasse de passar meu tempo lá, aconteciam coisas à minha volta que não me encorajavam a concluir meu curso. Depois da graduação, meu irmão mais velho penou para prosperar, mesmo trabalhando de forma árdua. Primeiro foi obrigado a servir o exército, depois assumiu um cargo concursado durante sete anos num emprego público. Meu primo, também portador de um diploma universitário, nunca conseguiu o emprego que queria. Acabou tendo que pintar paredes para sobreviver.

Foi durante meu primeiro ano de estudos que me apaixonei pela primeira vez. Começou com uma mera troca de olhares, mas logo a coisa evoluiu. A experiência despertou muitas emoções em meu íntimo. Vivi momentos muito bonitos com essa garota. Compartilhávamos nossas ideias, nossos sonhos e nossas ambições. Planejamos um futuro juntos, como marido e mulher. Nosso relacionamento prosseguiu por um bom tempo, me inspirando, me motivando e me dando novas esperanças na vida.

اجرة
اسعاف

Eu sempre dizia a ela como eu desejava viajar ao estrangeiro para continuar meus estudos. Mas ela me repreendia, insistindo que eu deveria permanecer em meu país. Eu tentava convencê-la a ir comigo, dizendo que viajaríamos e escaparíamos daquela amarga realidade que nos cercava. Mais um sonho que nunca se realizou, assim como o sonho que eu tinha de estudar arquitetura.

Recordo com muita clareza o dia em que nos conhecemos. Estávamos num anfiteatro. Foi uma das únicas vezes em que tivemos aula no mesmo local. Era comum que eu faltasse às minhas próprias aulas para ir às dela, só para poder vê-la. Eu tentava ser de alguma utilidade também: fazia anotações para o caso de ela depois precisar de ajuda nos estudos. Sem contar todos aqueles cafés da manhã inesquecíveis que tomávamos juntos no refeitório, lado a lado. Eu a adorava. Ainda me sinto feliz quando a imagino sorrindo. Pensar naquele sorriso representa tudo para mim. Às vezes, quando penso nele, mesmo quando estou andando na rua, um radiante sorriso invade meu rosto. As pessoas devem pensar que estou maluco. Mas é tudo por causa das doces lembranças que eu guardo dela.

Havíamos decidido viver um para o outro, mas na época não fazíamos ideia do que estava prestes a nos ocorrer.

O irmão dela foi preso pelo Daesh. Acusaram-no de trabalhar para o Exército Livre da Síria e ameaçaram executá-lo. Mas em seguida enviaram um de seus homens para "negociar" com a família. O Daesh fez-lhes uma oferta. Libertaria seu irmão, mas com uma condição: ela deveria se casar com um de seus combatentes.

Ela me ligou para dar a notícia. O tom de sua voz entregou tudo. Eu sabia que estava a ponto de ouvir algo terrível. Suas palavras atravessaram meu coração da mesma maneira que os estilhaços mataram meu pai e destruíram nossa casa. Fiquei em frangalhos. Mas eu sabia que a vida do irmão dela era mais importante do que os nossos sentimentos um pelo outro e os sonhos que dividíamos. Uma vida vale muito mais do que essas coisas — pelo menos era isso que eu repetia para mim mesmo. Até hoje tento me convencer disso.

Tento não questionar as muitas coisas terríveis que me aconteceram, e evito pensar demais nelas. Olho para os outros ao meu redor; alguns tiveram ainda menos sorte, vivem situações ainda piores que a minha.

Estou ciente de que, se quero perseverar e continuar vivo, não devo remoer a tristeza que existe em meu coração. Tenho de ficar longe de tudo isso. Tenho de me manter ocupado. E assim o faço. Ocupo-me de coisas que me causam problemas, mas que me mantêm atarefado física e mentalmente. Parece que minha jornada está longe de acabar.

Sinto muita saudade daquele amor, da mulher com quem compartilhei todos os meus problemas. E agora devo lidar com tudo sozinho.

Sendo um dos irmãos mais velhos, contavam comigo para tomar conta dos mais novos. Minha mãe sempre me ajudava quando a responsabilidade era muita. Sempre endossava qual fosse o conselho que eu já dera aos meus irmãozinhos e irmãzinhas. Quando eu não era capaz de chegar a uma solução para seus problemas, ela levava o assunto ao meu pai. Ele sempre parecia ter uma resposta. Isso garantia uma atmosfera serena e amorosa em nossa casa. Todos nós tínhamos muito respeito para com os outros, e minhas discussões com meus pais nunca duravam muito. Na verdade, quando paro para pensar, acredito que essas discussões me faziam bem e realmente ajudaram a nos aproximar.

Meu pai costumava nos repreender quando não fazíamos direito a nossa lição de casa, ou quando não estudávamos o bastante. Ele era muito cioso da educação e nos encorajava a avançar sempre mais, porém eu me perguntava o motivo de toda essa preocupação. Quando olhava ao meu redor, a maioria de nossos amigos, primos e vizinhos pelejava em empregos mal remunerados ou trabalhava por conta própria. Até mesmo meu pai se agarrava a dois empregos.

Meu pai nos comprou um só presente em toda a vida. De início, era para o meu irmão, mas à medida que envelhecíamos o passávamos adiante aos menores. Ainda me lembro claramente daquele presente, como se ontem mesmo eu estivesse brincando com ele. Aquele brinquedinho deu muita felicidade a mim e aos meus irmãos. Era um trem com seis vagões. Meu pai apontava para o primeiro vagão e me dizia: “Samer, este vagão é seu. Você é o maquinista deste trem”. Nunca me esqueci disso. Ainda que não passasse de um brinquedo, era algo muito simbólico. Meu irmão mais velho havia saído de casa, e essa obviamente era a maneira como meu pai passava para mim a responsabilidade pelos meus irmãos mais novos. “Ninguém vive para sempre”, ele dizia. Agora eu entendo o que ele queria dizer com isso.

Apesar de trabalhar em jornada dupla, meu pai geralmente não podia nos comprar presentes, porque havia muitas outras coisas de que necessitávamos. Roupas, por exemplo, e livros, material e taxas escolares, ainda que a escola devesse ser gratuita. Sabíamos como ele trabalhava duro e agradecíamos tudo o que fazia por nós. Costumávamos dar desculpas para ficarmos acordados até tarde para vê-lo chegar do trabalho. Sentimos muitas saudades dele.

Eu me lembro de uma ocasião terrível em que meu pai não voltou para casa. Minha mãe ficou entrando em meu quarto durante toda a noite. Na manhã seguinte, acordou-nos mais cedo que de costume. Pediu que, a caminho da escola, visitássemos o local de trabalho do meu pai para ver com seus colegas se alguém sabia por que não voltara para casa.

Mas, ao chegarmos lá, ficamos espantados ao descobrir que nosso pai não havia aparecido para o turno da noite no dia anterior e seu chefe imaginara que ele estava doente. Meu irmão e eu resolvemos matar aula e passar o resto do dia a procurá-lo.

Concentramos nossos pensamentos em todo o amor e o respeito que dedicávamos a ele. Suas palavras que nos encorajavam em nossos estudos ecoavam em nossa cabeça, e logo estávamos ainda mais assustados com o que podia ter lhe acontecido. Entretanto, toda vez que perguntávamos se alguém o tinha visto, a resposta era negativa. Fomos a todos os lugares que conseguimos imaginar, verificamos delegacias de polícia, clínicas, hospitais e a casa de todos os seus amigos. Não encontramos vestígio em nenhum lugar. Restara somente um local onde procurar — um prédio no centro da cidade, onde ele trabalhava durante o dia.

Definitivamente algo suspeito estava acontecendo. As pessoas de todo o prédio alegavam não tê-lo visto. Em muitos casos, insistiam que nem mesmo o conheciam, apesar de seu rosto as trair. Como era possível que pessoas que haviam trabalhado ao lado dele por tanto tempo subitamente não mais se lembrassem dele? Algo ruim devia ter acontecido.

Eu e meu irmão fomos embora, pensando ter ido ao prédio errado. Talvez tivéssemos nos equivocado e nosso pai trabalhasse em outro lugar. Por fim, decidimos voltar para casa e contar à nossa mãe o que havíamos descoberto.

Seu rosto estava indescritível. Ela tentou esconder seu desespero repreendendo-nos por ter faltado à escola. Disse-nos que nosso pai estava viajando por um tempo e que por isso não o encontrávamos. Em seguida, tentou nos consolar, alegando que não devíamos nos preocupar. Mas ele simplesmente tinha desaparecido. Era como se tivesse morrido.

Mesmo que estivéssemos acostumados a não ver muito nosso pai, sentíamos muita saudade. E a saudade aumentava mais e mais a cada dia que passava. Quem viaja sempre acaba voltando, não é? Era o que dizíamos uns aos outros.

Com todas essas inquietações e perguntas sem resposta obstruindo minha mente, certo dia resolvi bisbilhotar uma conversa que minha mãe travava com minha tia e meu tio. Aparentemente, meu pai tinha sido denunciado pelo chefe como dissidente, dizendo que ele fizera críticas à família de Assad e às suas medidas políticas. Parece que fora essa a alegação que levara à detenção de meu pai. Mas ninguém sabia onde as autoridades o haviam encarcerado.

Agora, todos os dias parecem iguais. A revolução despertou minhas esperanças e meus sonhos. Eu sonhava em deixar meu país e construir uma vida melhor em outro lugar, mas isso não é mais possível.

Eu me lembro de como estava otimista no início da revolução. Meu desgosto com o regime vigente tinha ficado represado desde que eu era jovem. Eu via as provas das malogradas políticas bem na minha frente e nada podia fazer a respeito.

Lembro que fui a Damasco com minha mãe, para encontrarmos um homem que dizia ser capaz de ajudar na libertação de meu pai. Embora esse homem fosse um parente, alertaram minha mãe que ela não conseguiria um desconto nos honorários de praxe. Ele faria a mediação entre minha mãe e o oficial do governo que estava cuidando do caso de meu pai. Ela torcia para que o homem fosse capaz de acelerar a soltura de meu pai antes que ele fosse transferido ao "departamento de investigações". Caso isso acontecesse, a intervenção não teria valia e meu pai poderia desaparecer para sempre. Temíamos que pudesse ter o mesmo destino que um parente de meu tio, que passou muitos anos na cadeia.

Era minha primeira visita à capital. Embora Damasco fosse muito maior do que a nossa cidade, em muitos aspectos era parecida. Ainda conservava no centro vizinhanças que lembravam a nossa por sua simplicidade e seus habitantes amigáveis. A única diferença era o tamanho das ruas. Em Damasco, eram muito maiores. Também havia mais parques. Nossa cidade tinha apenas dois, e um deles continha um cemitério. Tínhamos muito medo de visitá-lo sozinhos.

Eu não conhecia esse parente da minha mãe a quem havíamos recorrido por ajuda, embora eu já tivesse visto um retrato dele. Ao chegarmos, de noite, à sua casa, ele estava do lado de fora com um amigo que era oficial do governo. Sua esposa nos recebeu e nos introduziu a um quarto onde poderíamos descansar após nossa longa viagem. Eu não estava cansado. Só queria brincar com as crianças da casa e fazer amizade. Mas todas olhavam para mim de um jeito muito condescendente. Seu sotaque era diferente do nosso, ainda que seus pais tivessem vindo do mesmo lugar que nós. Haviam nascido e crescido na capital, a qual tomavam por lar. Fiquei mesmo muito incomodado com a maneira como menosprezavam minha cidade e a todos os seus residentes.

O comportamento das crianças passou a fazer mais sentido quando entreouvi a mãe delas falando. Estava contando à minha mãe como era difícil a vida que costumava levar na região em que a gente ainda morava. Ela a descrevia de uma maneira que não me agradou. Chamava os residentes de nossa região de estúpidos, dizendo que sua vida se resumia a trabalhar na fazenda e cuidar do gado. Falava do lugar com nojo, ainda que todos os legumes que ela comia e o leite que suas crianças tomavam viessem daquela região.

Na manhã seguinte, fomos ao escritório do nosso parente. Estava lotado. Todos estavam ali para submeter seus pedidos ou ter seus negócios aprovados oficialmente. O escritório parecia uma repartição pública. Foi preciso entrar numa fila, mesmo dizendo à recepcionista que éramos parentes do responsável pelo lugar.

Após alguns minutos, uma mulher na fila começou a falar com a secretária. Ela ouvira minha mãe informar que éramos parentes do mediador. A mulher disse à secretária que também era parente do mediador, embora isso fosse mentira. Ela obviamente esperava que isso apressasse sua consulta. A mulher estava lá porque precisava de ajuda em seu caso. Não tinha como pagar as taxas municipais exigidas para construir numa terra que havia acabado de herdar.

Finalmente chegou a nossa vez, e entramos no escritório do mediador. Eu esperava algum tipo de acolhida calorosa, mas ele se dirigiu a nós como se se tratasse de mais um grupo de pessoas procurando ajuda.

Depois de nos ouvir, inicialmente se recusou a prestar ajuda, por causa da implicação política do caso. Em vez de louvar meu pai por seu corajoso ato moral, disse que a culpa era toda dele, acrescentando que não deveria ter se envolvido em "assuntos administrativos". Ninguém devia criticar um oficial do governo por roubar seu país, disse. Afinal de contas, tal oficial poderia ter que utilizar dinheiro público para construir um palácio para si mesmo e "fazer o país parecer mais civilizado". Ou talvez ele desse prosseguimento a uma carreira realmente bem-sucedida e se tornasse um dos maiores empresários e geradores de fortuna do país. E era por isso que aos oficiais se deveria permitir tudo o que quisessem.

Ele insistiu que não deveríamos solicitar ajuda de oficiais do governo em um assunto do qual meu pai não tinha o direito de reclamar. O que precisávamos fazer era apelar para "generosidade" e a "bondade" do chefe e buscar seu perdão para a terrível atitude que meu pai tivera. A "terrível atitude" era o meu pai ter se queixado da horrível situação que o país vivia e da dureza que enfrentava para ganhar dinheiro suficiente para cuidar de sua própria família.

Fiquei completamente enojado com o que aquele homem — um parente nosso — estava dizendo. Mas aprendi uma valiosa lição sobre a conexão que há entre opressão e corrupção. É como disse uma vez Abd al-Raman al-Kawakibi:* "A opressão é a raiz de toda a corrupção".

Conquistar o chefe de meu pai foi custoso, mas funcionou. Para pagar o acordo, minha mãe teve de vender todas as suas joias, bem como um pequeno pedaço de terra que meu pai tinha herdado de seu avô. Depois de tudo o que havia conquistado ao longo dos anos, meu pai estava de volta à estaca zero e, ainda por cima, desempregado. Por fim, conseguiu persuadir seu antigo chefe a atenuar seu castigo e a lhe devolver seu cargo. Porém acabou sendo alocado para o centro de Raqqa, distante da área rural onde vivíamos, o que significava que ele precisaria sair bem cedinho e voltar muito tarde, de modo que não conseguiria trabalhar em um segundo emprego. Além disso, o custo da baldeação era muito alto. No fim das contas, decidiu que venderia nossa casa e que todos nos mudaríamos para a cidade. Eu não conseguia entender como alguém poderia nos tirar tudo o que tínhamos desse jeito. E isso não só acontecia na frente dos olhos do governo como também tinha seu completo apoio.

Mas eu sentia que uma mudança estava chegando e que haveria uma solução para o sofrimento de nosso povo. Afinal de contas, as coisas ficaram tão feias que uma mudança parecia inevitável. Essa sensação continuava a crescer, e em meu terceiro ano na faculdade a faísca da revolução deflagrou no sul do país. Senti como que um chamado para servir à terra que eu fora ensinado a amar e estimar. As necessidades de nosso país me pareciam mais importantes do que nosso bem-estar individual. Não acreditávamos que a comunidade internacional ficaria de mãos enlaçadas atrás das costas, apenas observando a perpetração de crimes contra pessoas desarmadas que queriam apenas fazer valer seus direitos.

* Escritor sírio do século XIX.

O massacre de Hama, em 1982, ensinou à nossa gente uma valiosa lição. Sob o comando do presidente do país, Hafez al-Assad,* o regime acabou matando mais de 35 mil civis no coração da Síria, e mesmo assim não houve repercussões. Nenhum jornalista cobriu essas atrocidades, então as pessoas não souberam do que aconteceu.

Mas nós nos lembramos. É por isso que estamos garantindo que tudo o que acontecer nesta guerra seja documentado e publicado nas mídias sociais. Quando começaram os protestos na minha universidade, eu os filmei. Continuei filmando quando os protestos se espalharam até chegar à minha vizinhança e ao resto da cidade.

Tendo no passado testemunhado a impiedade do regime, nossos anciãos nos advertiram que fizéssemos protestos pacíficos. Eles nos contaram que o regime não se importava com o que o Conselho de Segurança da ONU dizia, porque este era protegido por determinadas potências mundiais e possuía certas moedas de troca que poderia usar politicamente. Tudo isso ficou muito claro com o passar do tempo.

Ainda que a comunidade internacional pudesse claramente ver o que estava acontecendo, ela não tomou nenhuma iniciativa. Cometiam-se crimes contra indivíduos de todas as parcelas da sociedade síria. O regime tentou lançar mão de uma jogada sectária e empurrar sunitas contra xiitas, mas em vão. O povo sírio recusou-se a ser manipulado desse jeito.

O regime tentava convencer seus soldados e seus policiais de que os manifestantes que estavam reprimindo saíam às ruas para provocar confusão e arruinar o país. Mas a verdade era fulgurante como o sol, e todos podiam vê-la. Estava claro que o povo não iria desistir até que lhe fossem garantidas as exigências que fazia.

✱

* Pai do atual presidente.

Acredito fortemente que, se logo de início as mais básicas dessas exigências houvessem sido satisfeitas, não estaríamos onde estamos agora, porque o regime inteiro teria caído. Pedíamos a suspensão do estado de emergência, o que poria um fim aos vetos das forças de segurança e às prisões arbitrárias.

Nossas fileiras cresciam em número conforme protestávamos. O peito nu dos manifestantes confrontava todo o aparelho de guerra do regime. Na universidade, nossos comícios eram recebidos com balas de verdade disparadas pelas forças de segurança. Mais e mais pessoas foram presas. Desapareciam por muito tempo, eram trancafiadas em prisões ou casas de detenção sem nenhum registro de que tivessem passado por lá. Algumas eram executadas. Protestávamos diariamente, exigindo a soltura de nossos amigos. Então chegou a minha vez. As forças de segurança atacaram nosso comício e nos prenderam às dúzias, incluindo a mim.

Primeiro fomos levados a um de seus centros de detenção. Em seguida, fui mandado ao Diretório de Segurança Política, onde começaram os espancamentos e as torturas. Lá, tentaram arrancar de mim a confissão de que eu era membro de uma organização terrorista controlada por uma facção do Ocidente. Quando me recusei a confessar, bateram-me com ainda mais força, e a tortura se agravou. Quando minha saúde degenerou, finalmente me libertaram — não antes de me forçarem a assinar alguns documentos jurando nunca mais participar de protestos. Um dos documentos que assinei estava em branco. Não faço ideia de que outras coisas mais eu admiti ou apoiei.

Isso não me deteve. Pelo contrário, me deixou ainda mais rebelde. Em um dos enormes protestos realizados numa praça pública com a presença de milhares de pessoas furiosas com a repressão e os assassinatos vigentes, vi um dos homens que me torturaram. Lá estava ele, entre nós, no meio dos manifestantes. Ele olhou ao redor e me reconheceu. Eu contei a todo mundo quem ele era, informei que ele estava nos filmando por ordem do Diretório de Segurança Política. Ele me ouviu e ameaçou ir à minha universidade para me prender novamente. Disse que seus colegas garantiriam meu desaparecimento. Havia postos de controle por toda a cidade, e eu sabia que meu nome estaria na lista negra do regime.

Foi assim que terminou a minha educação. Tive de me esconder.

No início da revolução, os lugares que ofereciam maior segurança a sujeitos como eu eram áreas com grandes concentrações de rebeldes antirregime. As patrulhas de segurança que prendiam arbitrariamente quem quer que se manifestasse não ousavam chegar ao interior de vizinhanças como essas.

Encontrei refúgio num desses lugares, Joura, um distrito de Deir Ezzor, cidade ao norte de Damasco. Foi uma das primeiras regiões revolucionárias e logo se tornou o lar de muitos ativistas e desertores. É um bairro urbano central, mas fornece abrigo também às pessoas que vêm das regiões rurais. Embora muito pobres, seus habitantes foram generosos e gentis comigo. O que me fez lembrar de minha infância em minha cidade natal, antes de minha família se mudar para Raqqa.

A vizinhança de Joura sofreu muito depois que o regime soltou por lá parte de sua guarda presidencial. Essa guarda é considerada uma das unidades mais brutais e criminosas de Assad. Até hoje a área continua a sofrer um sítio duplo, tanto das mãos do regime como do Daesh.

Permaneci em Joura por cerca de dois meses. Em seguida, me mudei para outro bairro onde os civis haviam começado a portar armas. Uniram-se a desertores do regime e formaram uma facção armada para proteger a região. Essas pessoas repeliram bravamente as tentativas que as forças do regime fizeram para entrar na área, mesmo sabendo que suas armas não eram páreo para o pesado armamento do exército.

Foi um impasse épico. Passado certo tempo, os revolucionários conseguiram abrir uma estrada que desembocava no interior do país. Isso me rendeu uma saída segura, e pude combinar um encontro com minha família. Àquela altura, havia passado um ano sem vê-la. Pedi para minha mãe vir me encontrar

ويسقط
٨/٣/٢٠١٣

عاشت
ثوار حلب

com meus irmãos e minhas irmãs em uma das aldeias libertadas que ficavam perto de Raqqa, já que na época o regime ainda controlava a cidade. Passei dois dias maravilhosos com eles. Depois permaneci na estrada, viajando constantemente por áreas controladas pelos revolucionários. Só voltei a Raqqa em 2013, logo após sua breve libertação pelas forças rebeldes.

Desperto com o ruído de aviões de guerra. Ouço explosões. É um amargo retorno à realidade e à necessidade de parar de sonhar e concentrar-se na sobrevivência.

Lá fora, um dos meus vizinhos corre histericamente, perguntando se alguém viu seu filho. "Ele saiu para comprar pão."

Ao nosso redor, dizem que as bombas atingiram a casa de meu amigo Ahmed, perto da rotatória da praça Naeem. Corremos para lá o mais depressa que podemos e encontramos corpos espalhados. Um deles é o de uma mulher grávida. Aparentemente, daria à luz em questão de dias.

O ruído dos aviões se intensifica. Um passa logo acima de nossas cabeças. Nós nos dispersamos. É um avião branco, como os que nos atacaram faz alguns dias — um avião russo.

Assim que as aeronaves vão embora, eu me levanto e caminho até o trabalho. Desde que meu pai foi morto, arrumei um emprego na loja de um vizinho. O meu chefe, Abu-Muhammed, que está tranquilamente bebericando seu chá, me lança um sorriso cansado. Noto que não está fumando. Isso é muito incomum; ele geralmente fuma um cigarro enquanto toma chá. Mas agora o Estado Islâmico proibiu o fumo. Após identificarem o cheiro de cigarro, eles humilharam Abu-Muhammed na frente de sua loja, aos olhos de todos. Depois o espancaram, como se ele fosse um criminoso.

Enquanto conversamos, dois homens carregando documentos entram na loja contígua. Momentos depois, entram na nossa. Entregam-nos duas folhas antes de sair sem dizer palavra.

Os documentos são uma ordem do Estado Islâmico para banir todas as televisões em lojas. Temos uma semana para remover a nossa. Pelo jeito, não basta que paremos de falar com o mundo. Agora não podemos nem mais olhar para ele.

*

Mais tarde, fui visitar uma parenta que vive a uma curta distância da cidade. Tentei telefonar antes para avisar de minha chegada, mas sua linha não estava funcionando.

"Cortaram o telefone porque não paguei a conta", ela me contou quando cheguei. O Daesh está aumentando as tarifas para linhas telefônicas, eletricidade e água.

Minha parenta contou que estava farta de tudo e iria tentar deixar a cidade. Planejava ir à Turquia, onde mora um de seus tios, e ver se encontrava um emprego. Desejei-lhe boa viagem e orei a Deus para que ela conseguisse.

De volta à rua, notei várias mulheres andando com metralhadoras nos ombros. Perguntei a um vendedor ambulante quem eram.

"São da Brigada Khansa", ele me disse.

As integrantes dessa brigada geralmente são esposas de membros do Daesh, cuja maioria não fala árabe. As mulheres locais as odeiam. Elas circulavam implantando o código de vestimenta da Sharia. Enquanto eu as observava, elas pararam uma moça que estava na frente de um restaurante. Exigiram saber por que motivo as mãos dela não estavam cobertas. A mulher beirou o pânico e rapidamente pediu desculpas, dizendo que não sabia que deveria cobri-las.

"Vá imediatamente comprar o traje islâmico completo!", gritou uma das brigadistas. "Se não, você será presa e multada!"

A moça assentiu mansamente e tomou seu rumo.

Enquanto eu terminava meu sanduíche, cada vez mais combatentes do Daesh enchiam o café em que eu me encontrava. Pareciam comprar tudo o que lhes agradasse. Aquilo me enojou. Eram homens que recebiam centenas de dólares por mês, carros, acomodação, enquanto a maioria dos civis aqui empobrecia dia a dia e passava aperto para alimentar a família.

Meu celular toca. É minha mãe. Pede que eu compre alguma comida, mas ultimamente não tenho dinheiro para gastar. Agora os tomates estão custando mais de quatrocentas libras sírias e o arroz, quinhentas. É terrível.

A caminho de casa, penso em um monte de desculpas que posso dar por ter voltado com tão poucos alimentos. Mas não precisarei delas. Assim como muitos pais da vizinhança, minha mãe se rejubila só de saber que eu não fui preso ou assassinado e que cheguei a salvo em casa.

Passo por uma multidão numa praça pública. Não quero me misturar, porque talvez as pessoas estejam lá para assistir a uma decapitação. Porém, graças a Deus, dessa vez se trata apenas de um açoitamento. O transgressor é um membro do regime. Sua transgressão, pelo que me contam, foi praticar um ato homossexual.

Um amigo veio à loja hoje. Não o víamos fazia cerca de um mês, quando foi preso pelo Estado Islâmico pela quarta vez. "Você está vivo!", eu grito. "Pensávamos que estivesse morto."

Ele gargalha com um estranho sorriso no rosto. Conta que a causa da sua última detenção foi usar calças longas demais. O Estado Islâmico insiste que elas sempre devem ir somente até o tornozelo. Quem for pego desrespeitando essa regra é submetido a um curso de Sharia que dura uma semana.

Como se não bastassem acusações tão ridículas, eles ainda inventam deliberadamente algumas incriminações, sabendo-as falsas de antemão. Todos nós já presenciamos isso. No entanto, o Islã não permite convicções baseadas puramente em suspeitas. Todo muçulmano que se preze e já tenha testemunhado o que o Daesh faz sabe como seus membros são trapaceiros. Não só cometem crimes contra nós, como também cometem crimes contra nossa amada religião.

Esse é um terrível ultraje, porque o Islã é a coisa mais preciosa que temos; é um clarão de luz nesses tempos tão sombrios.

De manhã, minha mãe invade meu quarto pedindo para eu não me atrasar para as rezas de sexta-feira. Eu salto da cama e como alguma coisa, mas não tenho tempo para lavar a louça. Não posso arriscar ser espancado pelo Estado Islâmico após perder as rezas porque estava lavando louça.

A caminho da loja onde eu trabalho, antes de ir rezar, avisto um conhecido. Ele se aproxima e sussurra que o Daesh acaba de jogar dois adolescentes de um prédio muito alto. Diz que foram acusados de prática homossexual. Isso apesar de ontem dois combatentes do Daesh acusados do mesmo delito terem recebido apenas um açoitamento.

Como podem eles dizer que estão cumprindo a palavra e a justiça de Alá quando castigam pelo mesmo delito de maneiras tão diferentes?

Perco o fio do meu raciocínio quando um dos vizinhos me lembra de que é hora da reza. Assim como os outros lojistas, temos de baixar temporariamente as portas e ir à mesquita. Antes de partirmos, no entanto, damos de cara com uma ordem do Daesh que diz que também teremos de comparecer a um curso de Sharia de uma semana de duração. O que significa que precisaremos manter as lojas fechadas durante todo esse tempo. Como se já não fosse difícil o bastante tentar ganhar a vida sem receber esse tipo de ordens.

Trancamos a porta da loja e corremos à mesquita. Ao chegarmos, dividem-nos segundo nosso local de residência. Cada um aguarda sua vez. Aguardamos por um longo tempo, e quando chega a nossa vez já está escurecendo. Ordenam que nos sentemos diante de um homem grande e peludo, que nos acusa de heréticos que precisam ser reapresentados ao Islã. Depois ele toma a minha carteira de identidade e me entrega um recibo em que consta meu nome. Ao lado dele, leem-se as palavras "ESSA PESSOA ESTÁ ARREPENDIDA".

Agora entendo com maior clareza o que eles estão tentando fazer. Querem nos convencer de que estamos errados. De que eles são muçulmanos genuínos e nós, não. Eles não confiam em ninguém que não tenha comparecido a vários cursos de Sharia e se declarado arrependido.

Abu-Muhammed e eu pensávamos que já tínhamos acabado nosso curso compulsório de Sharia. Mas então ouvimos que ainda precisávamos frequentar aulas noturnas na mesquita também. Assim como muitos outros lojistas. É por isso que tantas lojas estão fechadas em Raqqa.

Um velho amigo meu, que também foi enviado para essas aulas, não apareceu. Quando um sujeito do Estado Islâmico exigiu saber onde ele se encontrava, dissemos que estava doente. Um tempo depois, ficamos sabendo que invadiram a casa dele. Mas ele não estava.

Agora terminamos nosso curso de uma semana e oficialmente tornamos a entrar no Islã como muçulmanos renascidos.

No dia seguinte, caminhei até o meu trabalho com passos confiantes. Um homem do Daesh me parou e perguntou se eu havia feito minhas preces diurnas. "Sim, é claro", respondi. Mas era evidente que ele pensava que eu mentia. "Que trecho do Corão você leu?"

Fui salvo de mais interrogatórios quando passou por nós uma mulher que não estava cobrindo os olhos adequadamente. O homem do Daesh voou para confrontá-la. Eu continuei andando o mais rápido que pude.

Mas as coisas se agravaram quando entrei na loja. Disseram--me que dois homens tinham vindo perguntar por onde eu andava. Entrei em pânico, minhas mãos começaram a tremer. Perguntei quem eram esses homens. "Eu não sei, mas um deles estava armado", respondeu meu chefe.

Será que eu seria açoitado, ou enviado para lutar pelo Daesh nas linhas de frente? Minha primeira ideia foi fugir, mas eu sabia que logo iriam atrás de mim.

Passei o dia todo pensando naqueles dois homens e no que poderia me acontecer, mas ninguém veio me buscar e, assim que fechamos a loja, voltei direto para casa.

"O que houve com você?", perguntou minha mãe. "Por que está tão pálido?" As mães percebem esse tipo de coisa.

No jantar, faltou-me apetite. Fiquei pensando em como minha mãe reagiria se o Daesh viesse à nossa casa me buscar. Ela continuou perguntando o que é que estava me incomodando, mas eu não falava. Não queria preocupá-la.

Não dormi a noite toda. Acho que minha mãe também não. De manhã, saí cedinho para abrir a loja. Preferiria que me sequestrassem na loja a ser levado na frente de minha mãe.

Hoje foi um dia realmente assustador.

Meu amigo foi condenado à morte por ter faltado às aulas de Sharia. Felizmente alguém conseguiu avisá-lo, e ele pôde fugir antes que o Daesh o capturasse.

*

Hoje à tarde visito Abu-Quassim, cuja idade é mais próxima à de meu pai que a minha. Nós nos sentamos no quarto de seus filhos. Ele conta que traz os amigos mais íntimos e outros convidados para esse quarto porque aqui há uma janela que dá para o interior da casa em vez de se abrir para a rua, e que pode ser aberta para deixar sair a fumaça dos cigarros. Pergunto-lhe se toda essa fumaça não faz mal às crianças. "Agora já estão acostumadas", ele diz, acrescentando que a única coisa que realmente temem é ver o pai ser preso — o que já aconteceu três vezes.

Não consigo evitar perguntar-lhe onde é que arranja cigarros, já que o Daesh os proibiu. Ele balança devagarinho a cabeça antes de dizer que sempre foi fumante e que, a essa altura, nem o Daesh conseguirá fazê-lo parar. Peço-lhe perdão por fazer tantas perguntas. Tudo o que realmente quero saber, eu digo, é se ele pode me ajudar a lidar com essa situação desesperadora que vivemos. Tendo suportado tantos problemas no passado, não teria ele algum conselho a dar?

Ele começa lembrando que as pessoas de nossa vizinhança costumavam dizer que as paredes têm ouvidos, porém que mais tarde descobriram que as paredes são surdas. Devemos mesmo é temer os ouvidos das pessoas que convivem conosco, "apesar de serem apenas almas fracas", ele afirma.

"Viva sua vida sem considerar o presente", Abu-Quassim continua. "Imagine que está caminhando sobre uma corda estendida entre duas montanhas. O presente é o chão logo abaixo. Caminhe sempre em frente e concentre-se apenas em chegar à outra montanha. Nunca olhe para baixo."

A partir de agora, vou levar esse conselho em consideração e tentar caminhar sempre em frente até chegar à outra montanha. Assim que eu chegar lá, o presente terá desaparecido.

O sol deu as caras pela primeira vez em muitos dias. O tempo aberto me deixa mais otimista. Consigo assim afastar os pensamentos sombrios que me dominam há semanas.

Todavia, as mercadorias domésticas de nossa mercearia estão ficando empoeiradas. Simplesmente não vendem. O custo de trazê-las para cá após atravessar incontáveis postos de controle do regime e do Daesh tornou-as caras demais. Vendemos menos em dois meses sob o comando do Daesh do que antes vendíamos em uma semana. E não só devido aos preços galopantes; muita gente se recusa até a sair às ruas.

Para piorar as coisas, o Daesh ordenou recentemente a todos os lojistas que limitassem a 25% a sua margem de lucro sobre as mercadorias. Ultrapassada essa parcela, cobra-nos uma taxa. Há ainda o custo da limpeza e da eletricidade — isso quando conseguimos obtê-las. Estamos, em suma, tendo prejuízo. Os comerciantes estão desistindo.

A mãe de um amigo chega à loja e me diz que prenderam seu filho numa batida feita em sua casa. O meu amigo Anas esteve conosco desde o início da revolução, em 2011, mas largou o ativismo quando o Daesh assumiu o controle, tendo se casado e sossegado.

Pobre rapaz. Ele não percebeu que, mesmo assim, iriam atrás dele. O Daesh sabia de seu envolvimento anterior com a revolução e o prendeu várias vezes.

Tento acalmar a sua mãe, dizendo que muito provavelmente apenas o estão interrogando, assim como já fizeram muitas vezes antes. Mas ela não vê consolo nas minhas palavras e me diz para deixar a cidade antes que venham atrás de mim também.

Aquilo realmente me atinge. Caminho pela cidade com a alma alquebrada, reparando em todas as outras almas alquebradas com que cruzo. Cada par de olhos que passa por mim conta uma história diferente, uma batalha diferente.

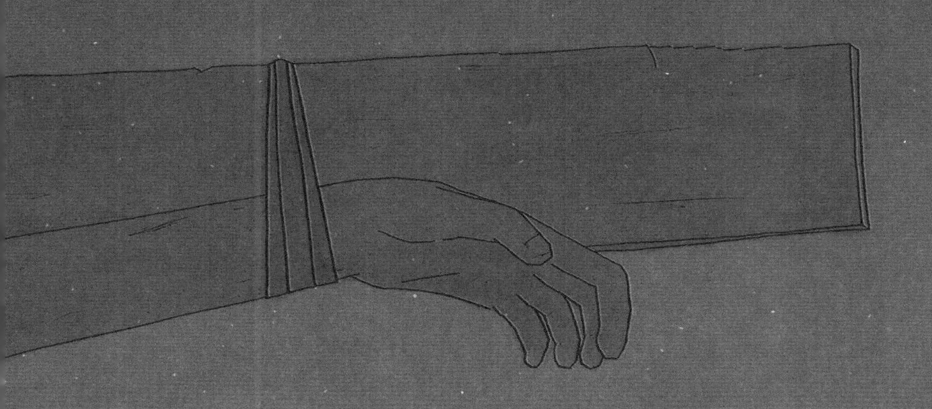

Perto do meio-dia, estou arrumando as prateleiras quando um velho amigo vem me ver na loja. Ele parece espantado e me aconselha a não pegar meu costumeiro trajeto de volta para casa. Diz que há uma coisa que eu não gostaria de ver, mas não informa o que é.

No fim das contas, sou vencido pela curiosidade.

Em frente à casa de meu amigo, vejo um homem com a cabeça decepada. Ele também foi crucificado. Em uma placa acima de sua cabeça, lê-se: "Espião, colaborador que atuou contra o Estado Islâmico". É Anas. Não consigo acreditar.

Fico em um estado tão deplorável que não consigo voltar para casa. Não quero que minha mãe me veja desse jeito. Como foram capazes de fazer isso? Deixar seu corpo estraçalhado na frente da casa da mãe, na frente da família?

A coisa piora com o passar do dia. Estão fazendo batidas na casa de quem quer que tenha se envolvido com a revolução. Mesmo tendo sido há muitos meses ou muitos anos. Eu sou um dos que se envolveram. Distanciei-me das pessoas com quem costumava frequentar os protestos. Não quero o Daesh suspeitando de mim nem delas.

*

Hoje Alaa passou pela loja e não entrou. Parecia preocupado. Conheço-o há muito tempo, embora só tenhamos ficado mais próximos depois que o Daesh tomou nossa cidade. Mas não sobraram muitas pessoas de nossa idade em Raqqa, e, apesar de raramente nos encontrarmos em público por causa do medo de sermos avistados, viramos amigos. Corri loja afora para lhe perguntar o que estava acontecendo.

Alaa contou-me que sua mãe tinha desmaiado, mas a equipe do hospital se recusou a admiti-la, alegando que não havia espaço para civis. A prioridade é dos combatentes do Daesh. O hospital está lotado deles. Muitos ficaram feridos em ataques aéreos ou nos campos de batalha.

Contei a ele que a mulher do proprietário da loja ao lado era enfermeira e que podíamos pedir que a chamasse. Assim que chegamos à casa de meu amigo, a enfermeira já estava lá. A mãe de Alaa tinha simplesmente tido um choque, disse ela, e ficaria bem logo depois de repousar um pouco.

Foi então que Alaa me contou toda a história. Sua mãe e a vizinha Um-Waleed tinham o hábito de tomar uma xícara de café juntas antes que Um-Waleed fosse para o trabalho. O filho de Um-Waleed, Waleed, é um rapaz complicado, que sofre de problemas mentais. Eu o conheço. É um cara retraído que penou para fazer amizades; a maioria de nós tentava evitá-lo.

Waleed tinha entrado no Daesh, resolvido a vingar-se todos. Ele contou ao Daesh que sua mãe tinha birra deles e prometeu ele mesmo castigá-la. Executou a própria mãe em público.

Certas coisas que o Daesh vem fazendo não são nenhuma surpresa. Mas outras são muito piores do que eu jamais esperara.

Abu-Quassim aconselhou-me a tentar ignorar tudo o que ocorre à minha volta. Mas, por mais que me esforce, não consigo evitar a lembrança das coisas que aconteceram. Quando o Daesh passou a violentar a minha cidade, arrancando-a das mãos dos revolucionários que haviam sacrificado tudo para libertá-la, fiquei realmente muito bravo. Não conseguia aceitar a situação e resolvi revelar os crimes cometidos contra a nossa gente. Eu tinha de contar ao mundo o que estava acontecendo em Raqqa.

O Daesh sempre acorre ao local atingido por um ataque aéreo tão logo ele acontece, para impedir a aproximação dos civis; não por temer por nossa segurança, mas para impedir que algum ativista de mídia tire fotografias e as divulgue no exterior. Afinal de contas, isso comprovaria a terrível situação em que vivemos. Isso em muito se assemelha à maneira como se comportava o próprio regime. Viver sob seu jugo me ensinou lições cruciais que foram de grande valia na convivência com o Daesh, mas esses novos tiranos governam com uma mão ainda mais esmagadora.

Encontrei uns caras que conheci durante os primeiros protestos populares contra o regime. Desde que o Daesh assumiu, esses ativistas permaneceram na cidade. Nós todos concordamos que alguma providência deve ser tomada e que devemos dividir a responsabilidade para que ela seja levada a cabo.

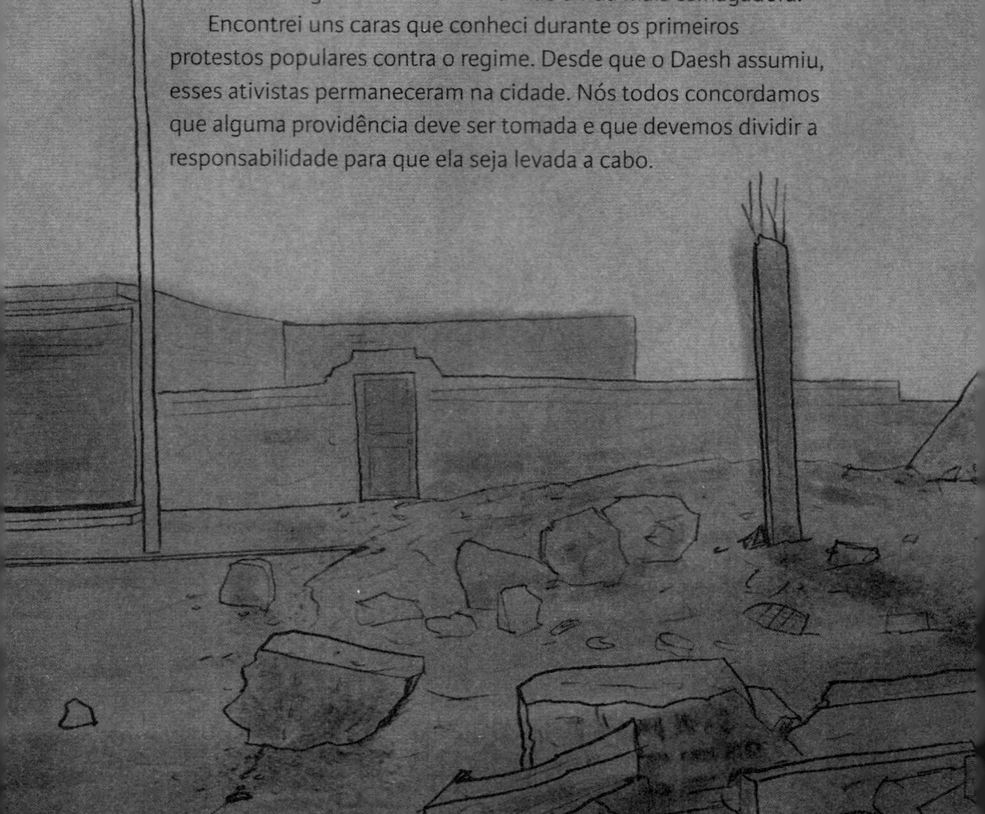

Riyad distribuiu as tarefas. A mim, coube publicar mensagens em blogs e outras mídias que gerenciamos e fazê-las ir além de Raqqa. Vou a um cibercafé e publico tudo o que guardei no meu celular. Os cafés estão sempre cheios de seguranças do Daesh que executam os ativistas de mídia, portanto temos de ser muito cuidadosos. Meu material é enviado a um intermediário, que o repassa ao meu amigo Mokhles, que está lá fora. Então ele consegue publicar o material na internet.

Queremos que o mundo saiba o que está acontecendo. Que tome conhecimento de coisas que nem imaginam acontecer, como as execuções e os apedrejamentos e também os feridos em ataques aéreos. Queremos dizer àqueles que fugiram de Raqqa como é que nossa cidade está se virando. Também tememos por aqueles que agora são refugiados em países desconhecidos. Devem estar igualmente preocupados com o que acontece por aqui.

*

Meu generoso amigo Khalid é célebre por suas boas maneiras. Foi membro fundador de nosso grupo ativista e memorizou o Corão na íntegra. Pessoas cultas como ele são as que mais assustam o Daesh. Ele acredita que nossa missão mais importante é expor sua verdadeira natureza, em particular a maneira como usam a religião para acobertar sua criminalidade, o que engana apenas àqueles que não conhecem bem o Islã. As pessoas que caem em suas mentiras são aquelas que estão em busca de um propósito na vida. Khalid quer que revelemos a verdade, que impeçamos que mais pessoas se unam ao Daesh e, com sorte, consigamos demover as que já se uniram. Ele odeia a forma como o Daesh está corrompendo nossa religião, contaminando tudo o que nossos pais e avós nos ensinaram, dizendo que nós é que estamos errados e eles é que estão certos.

Após as preces de sexta-feira, vejo Khalid. Os rapazes o rodeiam para perguntar sua opinião acerca do pregador. Embora ele tenha usado com acerto as citações do Corão e do Hadith,* a sensação é de que foram empregadas para divulgar e promover o Daesh. Khalid está ficando impacientíssimo com tudo o que está acontecendo. Faz com que ouçam cada vez mais alto sua crítica ao Daesh, o que me preocupa. Tento acalmá-lo, temendo por sua segurança.

Riyad manda me chamar para conversar sobre Khalid. As pessoas o estão observando, fazendo perguntas sobre ele, passando-se por simpatizantes da causa anti-Daesh. Ele me conta que Khalid agora é "carta marcada" e que precisamos nos afastar dele. Acato suas palavras e, por minha mãe, mando a Khalid uma mensagem avisando-o do perigo que corre.

* Os dizeres do Profeta.

Mas é tarde demais. Homens já invadiram sua casa e o prenderam. Logo depois, foi executado por ter sido "um inimigo do Islã e de Alá".

Nunca vou me esquecer desse dia. O Daesh cercou--se de pessoas na praça pública antes de proferir um de seus discursinhos. Não pude acreditar nos meus olhos nem em meus ouvidos. Crucificaram-no não muito longe da casa da família.

Fiquei gravemente abalado pela morte de Khalid. Agora estou mais determinado do que nunca a combater esse grupo criminoso e expor o que está fazendo. Quero que seja levado a público o que está fazendo conosco — não apenas o efeito físico que seus atos nos causam, mas o que fizeram com nossos sonhos, nossa revolução, nosso estilo de vida. Sou, contudo, dominado por um imenso medo. Não só pelo horror do que aconteceu a Khalid — mas por estar ciente de que a mesma coisa pode acontecer comigo, em frente à casa de minha mãe.

Essas execuções e outros castigos sangrentos projetam uma longa sombra de tristeza sobre a cidade e o campo afora. Agora pouco restou de vida normal por aqui. As ruas estão quase desertas. A maioria das lojas fechou, porque mesmo os corajosos que se aventuram nas ruas não têm dinheiro para comprar nada.

A cidade, assim como seus habitantes, está morrendo nas mãos do Daesh. Aos poucos, seu espírito está sendo estrangulado.

*

Toda a minha coragem e determinação parecem ter me abandonado. Devo admitir que várias vezes até tentei deixar meu grupo de ativistas. Só queria ficar livre de tanta preocupação constante. Quero desesperadamente recuperar minha paz de espírito, ou pelo menos um gostinho dela.

Não confio mais nas pessoas, porém não contei nada a ninguém. Talvez não percebam a mudança que se operou em mim. Sempre fui muito quieto, alguns dos meus amigos chegam até a me descrever como "misterioso". Resolvi deixar a turma de Riyad. O Daesh está perseguindo os ativistas cada vez mais, então eu faço tudo o que posso para evitar meus semelhantes. Vou continuar fazendo o que estou fazendo, mas por conta própria, a partir de agora.

Venho registrando em um diário o que está acontecendo à minha cidade. É algo arriscado de fazer. O Daesh tem controle completo sobre a cidade e sempre está muito próximo quando escrevo.

A situação da loja não é nada boa. Há dias não recebemos um único cliente.

Hoje vi uma criança, por volta de seus oito anos, receber uma arma para executar um idoso acusado de trabalhar em conluio com o regime. O homem era um oficial reformado do exército. Todos ficaram chocados. Ele era muito conhecido e respeitado. Foi executado ao lado de um rapaz que desertara das forças armadas. Foram ambos massacrados após receber a mesma falsa acusação: contribuir com o regime.

Ontem à noite, meu amigo ativista Riyad predominou em meus sonhos. Primeiro, ele é decapitado e crucificado pelo Daesh, porém depois volta a se erguer, mais valente do que nunca.

Junta-se uma multidão, gritando a plenos pulmões: "Riyad é nosso líder! Riyad, caro amigo, você voltou à vida! Você se ergueu depois de ser executado pelo Daesh".

Riyad responde com palavras de ordem contra o Daesh. Todos repetimos suas palavras e gritamos: "Iremos com você até o fim, Riyad! Abaixo o Daesh! Abaixo o Daesh!".

O som da liberdade reverbera à nossa volta. E, conforme avançamos contra o Daesh, seus combatentes correm para se salvar.

"Samer, levante-se, meu filho; você vai chegar atrasado ao trabalho."

É minha mãe. Ah, meu Deus, já são dez horas! Tenho de abrir a loja. Abu-Muhammed disse que hoje não poderá ir.

Pulo da cama e caminho direto até a loja, ainda retendo na cabeça as imagens do sonho da noite anterior. Elas me dão uma grande motivação — uma motivação muito necessária em meio a tudo isso que está acontecendo aqui.

Assim que abro a loja, meu amigo Malek chega por trás de mim. Parece trazer más notícias.

"Samer", diz ele, "tem alguém que precisa falar com você. Vá lá em casa esta noite."

O pedido de Malek me preocupa. Do que se trataria? Fico um pouco paranoico, mas tento pensar em outras coisas durante todo o dia. É algo que faço a todo momento: distraio-me de pensar no que está acontecendo ao meu redor.

Sou dominado pela desesperança. Simplesmente não vejo luz nenhuma no fim de toda essa treva. Sei que tenho de lutar contra esse terrível desespero em que me encontro, mas sinto dificuldade de prestar atenção no que quer que seja.

Minha mãe diz que quer falar comigo, mas sofre para conseguir se abrir. Peço que ela diga logo o que se passa pela sua cabeça, para deixar de mortificar-se. Suas palavras me abalam no íntimo. “Filho”, ela diz, “temos Deus para olhar por nós, então não se preocupe com sua família.” Ela me diz que sabe que a situação se tornou insuportável, que vive preocupada a todo minuto e que todos os dias fica aguardando eu voltar para casa, mas que a ansiedade não cessa nem mesmo quando retorno. “Temo que a qualquer momento venham buscá-lo e o levem para longe de mim.” Essas palavras em si já são duras, mas as que leio implícitas nos seus olhos são as que realmente me atingem. Parecem berrar: “Fuja enquanto pode, parta antes que seja tarde!”. Mas sair de Raqqa, a cidade que amo, é dar um grande passo.

É da minha natureza ficar profundamente afetado pelo que acontece ao meu redor, e passo o dia todo observando e pensando. Minha mente vaga de pensamentos sombrios e deprimentes para pensamentos que apresentam vislumbres de esperança. Talvez Deus não tenha me abandonado por completo e ainda possa aliviar os meus fardos.

Eu tinha esperanças de que as coisas pudessem mudar, de que o Daesh pudesse de repente sumir de nossa estimada cidade. Essa esperança contínua, embora seja indefinida, me faz querer ficar aqui e agarrar-me a tudo o que me é familiar. Nos meus momentos de maior otimismo, consigo mesmo farejar o vento da liberdade.

Mas a vida continua piorando em vez de melhorar. Quanto mais território o Daesh perde fora da cidade, mais complicadas e tensas as coisas ficam para nós. O comportamento de seus combatentes fica mais imprevisível a cada dia.

Faz um belo dia ensolarado. Pela primeira vez em muito tempo não ouço os ameaçadores estrondos das aeronaves sobre nossas cabeças, algo a que penosamente nos acostumamos. Isso me anima um pouco, depois de tantos dias de assombrosa depressão.

Ouço um homem gritar comigo, mas acelero o passo e não olho ao redor, tentando ignorá-lo. Sei que é Massoud, o funcionário da mercearia local. Ele é abominável. Desapareceu por um tempo, e o povo diz que ele se juntou ao Daesh e passou por um treinamento com os combatentes.

Ando cada vez mais rápido, mas Massoud não desiste. Começa a chamar meu nome ainda mais alto, atraindo atenção demais. Numa tentativa de despistá-lo, dobro depressa à esquerda num beco lateral, que leva à loja onde eu trabalho.

Ao chegar, surpreendo-me ao saber que as portas ainda não foram abertas. Isso é muito estranho. Abu-Muhammed nunca se atrasa.

Volto a me preocupar com o que Massoud queria comigo. Estou farto disso. Abro a loja e tento me ocupar.

Abu-Muhammed não dá as caras o dia todo. Depois de fechar a loja, eu vou até sua casa descobrir o que aconteceu. Quem me recebe é seu filho, e quando adentro a casa vejo Abu-Muhammed acompanhado de vários parentes. Ele pede para eu me sentar e conta o que houve.

Seu sobrinho de doze anos, Mahmoud, está desaparecido há dez dias. Mais cedo, Massoud, o homem que estivera me perseguindo de manhã, apareceu na casa do irmão dele e lhe disse que Mahmoud foi morto no norte de Alepo enquanto lutava pelo Daesh. Ele sofrera uma lavagem cerebral do Estado Islâmico e fugira de casa após o terem alimentado com toda aquela ladainha de jihad que nada tem a ver conosco. "Deus irá puni-los por isso", diz Abu-Muhammed.

Por mais chocado e entristecido que eu me encontre, não me surpreendo com o que acabo de ouvir. Já faz algum tempo que o Daesh envia crianças à frente de batalha. Isso demonstra como eles ficaram desesperados; usam todas as suas cartas para manter-se na jogada. Eles sempre dizem: "Estamos aplicando a Sharia de Alá". Mas essa Sharia do Daesh é uma lei que eles próprios inventaram.

No dia seguinte, estou no trabalho quando ouço o ruído ensurdecedor de aviões. Como de hábito, os combatentes do Daesh na rua começam a entrar em pânico e a correr descontrolados como galinhas decapitadas. Sempre que se sentem ameaçados, investem contra nós, em vez de investir contra os seus inimigos acima de nossas cabeças.

Nessa noite, decretam um toque de recolher na cidade, o que significa que não poderei ir à casa de Malek, como combinado. Eu lhe telefono, mas ele se recusa a discutir o que quer que seja por esse meio. Diz que o Daesh está monitorando os telefonemas.

Estou morrendo de fome, mas minha mãe diz que não há pão. Faço um chá, usando apostilas velhas para acender o fogo. Há meses não temos gás de cozinha, embora o Daesh controle a maioria dos campos de petróleo. Em vez de vendê-lo para nós, exportam-no principalmente para o Iraque. E também ao regime de Assad, ainda que supostamente devessem combatê-lo. Parece ser uma relação comercial bastante confortável.

Por esses dias o açúcar está mesmo muito caro, então bebo o chá puro.

É como diz um velho provérbio local: "Os famintos serão para sempre famintos, mesmo que comam constantemente durante quarenta anos". O Daesh não é capaz de nos fornecer nem mesmo as coisas mais básicas. Tudo o que faz é roubar o pouco que temos. Somos nós que o sustentamos.

Outro velho provérbio diz que as coisas ruins sempre vêm aos montes. Como isso é verdadeiro! Estão querendo nosso dinheiro para limpar as ruas de nossa cidade. O dinheiro que exigem equivale ao lucro mensal da loja! Eles estão sempre tomando nosso dinheiro e acrescendo taxas a tudo. Espremem praticamente tudo o que temos e ficam inventando novas maneiras de nos rapar. Não poupam nem mesmo os miseráveis da cidade. É como se o objetivo do Daesh fosse encontrar a maneira mais eficaz de arruinar nossa comunidade antes de finalmente sair daqui.

Na tarde seguinte, consigo ir à casa de Malek. Lá estão dois jovens com seus celulares. Reconheço um dos dois; era assíduo nos protestos contra o regime. Ainda não sei por que Malek insistiu tanto que eu viesse. Enquanto me sento, ele se levanta para pegar seu próprio telefone. Diz-me que conseguiu conectá-lo à internet. A conexão é segura, então o Daesh não conseguirá rastreá-lo.

O Daesh defende que usar telefones celulares é um pecado contra Deus e um crime imperdoável.

O que acontece em seguida é uma surpresa impressionante. Malek me entrega o telefone, e eu ouço a voz de Mokhles. Ele foi um dos primeiros revolucionários e um amigo bastante próximo. Fazia séculos que não falava com ele. Antes, eu conseguira entrar em contato com ele indo a um cibercafé, mas, desde que esses locais começaram a ser monitorados de perto pelo Daesh, todo mundo deixou de frequentá-los. Mokhles conseguiu fugir, já faz um tempo, e hoje vive numa área rural ao norte de Alepo.

Ele se empenha ao máximo para me contar tudo o que sabe sobre a forma que os camaradas sírios estão encontrando para sobreviver, separados pelos gêmeos perversos do regime e do Daesh. As Forças Democráticas da Síria são, no momento, as mais próximas de Raqqa, mas a opinião que Mokhles tem sobre elas é preocupante. Mesmo tendo experimentado a vida sob o Daesh, ele é muito crítico às FDS. Executaram o irmão dele, e a mãe morreu de infarto quando lhe deram a notícia.

Inacreditavelmente, ele diz que preferiria viver na Raqqa comandada pelo Daesh a viver sob o jugo da milícia das FDS.

Ele garante que, se elas entrarem na cidade, nós simplesmente passaremos de uma terrível ocupação para outra.

Isso é muito decepcionante. Eu esperava que as forças libertassem Raqqa e que a vida melhorasse. Mas não tenho motivo para duvidar do que diz Mokhles.

Nessa noite eu vou para a cama ainda com as palavras de Mokhles ecoando em meus ouvidos. Tento ler nas entrelinhas do que me contou, procurando vislumbres de alguma esperança. Procurando qualquer sinal de que as coisas possam em breve melhorar.

É sexta-feira, o que significa que tenho de comparecer às rezas. Quem não comparecer é brutalmente castigado. Não tem quase nenhuma alma na rua; estão todos dentro de casa. Tem uma viatura de polícia do Daesh circulando para lá e para cá. O que me faz lembrar da maneira como o regime costumava contornar a mesquita durante as preces de sexta para tentar impedir os protestos de acontecer.

Mokhles me pedira para tirar umas fotos da cidade, porque ele sente saudades e quer ver como ela está. Graças a Deus não fui visto pelo Daesh. Se fosse avistado, sabe Deus o que não teria me acontecido.

Nessa noite, falo de novo com Mokhles, conforme combinado. Ele me diz que outro amigo meu, Hassan, está mandando um “oi”. Falamos sobre muitas coisas, mas a condição de vida em nossa amada cidade constitui o cerne de nossa conversa.

Mokhles continua a sustentar sua desconfiança em relação às Forças Democráticas da Síria. Fico sabendo que os curdos, que compõem a maioria das FDS, querem formar uma “Federação da Síria do Norte”. Agora me parece que suas ambições estão claras. Acho muito significativo como o Daesh responde aos avanços territoriais de seus inimigos. Por exemplo, quando o regime lhe tomou Tadmur, foi mais uma cessão do que uma ocupação. O Daesh já havia batido em retirada e transferido todas as suas armadas para Raqqa e outras regiões ainda sob seu controle. Parece-me que existe uma espécie de entendimento mútuo entre o regime e o Daesh, como entre o de um pai com seu filho.

Planejo ir à casa do Malek todas as noites. É muito gratificante conversar com amigos e ativistas que não se encontram em Raqqa. Esta tão desejada comunicação torna a cidade menos parecida com um presídio.

Começo a sentir que o tempo está acabando para mim aqui em Raqqa, a cidade que eu amo. A cada dia a expressão no rosto de minha mãe se torna mais aflita. É como se aquele olhar me mandasse fugir enquanto posso.

Consulto Abu-Muhammed. Sei que ele se importa muito comigo e deseja o melhor para o meu futuro. Ele me diz que há alguns fatos que devemos encarar. Que administrar uma loja nesses tempos horríveis é cada vez mais difícil e as vendas dos últimos doze meses não cobriram nossos custos. Diz que sou um homem jovem e seria um equívoco perder mais tempo aqui.

"Meu filho, a única coisa que nos restou agora é a misericórdia de Deus. É a nossa única esperança."

Ele põe a mão no meu ombro e diz que entende que eu esteja preocupado com a minha família, mas argumenta que eu deveria partir, caso queira o melhor para ela.

"Ainda que sua vida não valha muita coisa a seus próprios olhos, ela significa muito para os outros."

As palavras de Abu-Muhammed, somadas ao meu estado de depressão profunda diante do que vem acontecendo ao meu redor, pesam na balança. Será muito difícil abandonar esta cidade. Não tenho nenhuma garantia de que serei capaz de suportar a separação do lar e de todos que amo, mas talvez tenha mesmo chegado a hora de partir.

Vou começar a pensar em destinos onde eu possa me esconder. Provavelmente uma das áreas autônomas. E se eu fosse para uma região controlada pelos curdos e pelas Forças Democráticas da Síria? Não, isso não é uma opção. Creem equivocadamente que todos os que vivem sob o jugo do Daesh são leais a ele.

*

Hoje tive a sensação de que estava sendo seguido, tanto na ida para o trabalho como a caminho de casa. Foi apenas uma intuição, mas sei que estou certo. Desde que me uni à revolução já tive essa experiência muitas vezes e, ao longo dos anos, aprendi a nunca ignorar essas sensações.

Tomo cuidado ainda maior aonde quer que eu vá, a cada passo que dou. Apenas visito locais aos quais preciso ir, como a loja onde trabalho. Embora eu duvide que vá continuar a ir para lá por muito tempo. Abu-Muhammed está mergulhado em dívidas, e acredito que ele terá de fechar o negócio muito em breve. Já parei de trabalhar lá com a mesma regularidade e estou agora basicamente desempregado. Eu me esforço para imaginar como poderei pagar pelas coisas de que precisarei para fugir. No entanto, sigo fazendo planos.

Com cautela extrema, dou o meu melhor para permanecer em contato com meus amigos ativistas fora de Raqqa. Eu lhes conto o que está acontecendo nesta prisão em que agora vivemos, torcendo para que transmitam as informações ao mundo.

A noite está chuvosa. Eu miro o meu entorno com desconfiança. A rua está quase vazia. Ando rápido até a casa de Malek. Numa linha telefônica segura que ele conseguiu, converso com meu velho amigo Mokhles. Ele parece preocupado. Conta que uma célula de inteligência com a qual ele anda tendo contato lhe disse que eu entrei na lista negra do Daesh e preciso sair de Raqqa assim que possível. Prossegue explicando como ele e outros amigos conseguiram fugir. Em primeiro lugar, preciso encontrar um contrabandista que me leve à cidade de Al-Bab; em seguida, outro terá que me conduzir a uma área autônoma, controlada pelo Exército Livre da Síria. Ele me avisa que terei de tomar cuidado a cada etapa do trajeto.

Malek me diz que Abu-Saleh, um taxista da região, tem ajudado as pessoas a fugir.

Nessa mesma noite, visito Abu-Saleh e explico que quero sua ajuda para sair da cidade. Após ouvir minha história, ele se diz surpreso com a demora de minha fuga. Vai me custar duzentos dólares, conta, ou até menos, caso eu consiga persuadir outras pessoas a viajar comigo e dividir a tarifa. Ele avisa que, por ora, devo ficar na surdina e aguardar seu contato.

Em tempos normais, já não sou bom em lidar com espera. Agora, dominado pela aflição e pelo temor, encontro-me pior do que nunca. Fico andando de um lado para o outro, sem parar. Agora que Mokhles confirmou que o Daesh está no meu encalço, espero ser preso a qualquer momento.

É duro encarar minha mãe. Sei que talvez nunca mais volte a vê-la. Já sinto dificuldade de pensar com lucidez. É impossível expressar com palavras os meus sentimentos.

Duas noites se passam. Estou sendo muito cauteloso. Estou muito assustado. Durmo nos braços de minha mãe como se fosse uma criança.

Tarde da noite, ouço uma batida na porta. Aproximo-me tendo um ataque de nervos. Ouço a voz de Malek pedindo para abrir a porta.

"Samer", ele diz, "tome aqui esse dinheiro. Não é muito, mas foi dado de coração pelos seus amigos. Lembre-se, agora somos todos um só." Ele me diz que negociou com o contrabandista e pagou em meu nome. O dinheiro que está me dando é para a minha família, para ajudá-la depois que eu tiver ido embora. O motorista vai partir pouco antes da alvorada. Aconselharam-me a levar apenas o essencial, a deixar para trás meu celular, bem como todos os objetos que tenham nomes ou números armazenados. Há muitos postos de controle do Daesh, e eles vasculham todo mundo.

Malek promete ser o ponto de contato entre mim e minha família depois que eu fugir. Eu lhe agradeço, e ele se despede. "Que Deus esteja com você, irmão Samer."

Não sei como vou dizer adeus à minha família, mas, assim que me viro, vejo minha mãe ali parada. Ela estava ouvindo minha conversa com Malek. Está chorando, mas tenta me consolar. Insiste que não ficaremos separados por muito tempo.

"Cuide-se", implora ela. "Leve uma vida decente, sempre preserve sua honra."

Ela fala como se nunca mais fôssemos nos ver.

Preparo-me para partir às pressas. Fazer as malas não toma muito tempo, pois não posso levar praticamente nada. Se a essa hora da manhã eu fosse visto carregando malas enormes, ficaria patente que estava fugindo. Não posso me arriscar assim.

Assim que eu abro a porta de casa, o velho furgão de Abu-Saleh surge.

"Adeus, mãe", eu sussurro. "Adeus, irmãos e irmãs. Cuidem-se."

Abu-Saleh diz que precisamos pegar o resto dos passageiros antes do nascer do sol, senão será impossível passar por todos os postos de controle. Ele conta que faz essa viagem toda semana e até agora ninguém foi preso. Exceto uma pessoa que ficou tão assustada quando foram parados por uma patrulha do Daesh que acabou balbuciando todas as palavras erradas. Ele pede que fiquemos calmos. Tudo o que devemos dizer se formos parados é que estamos indo para outra área controlada pelo Daesh para comprar algumas mercadorias.

Apanhamos uma mulher grávida com duas crianças, um homem em seus trinta anos e outro homem que me parece familiar. Ele está extremamente nervoso e não fala muito.

Não demora para deixarmos as fronteiras administrativas da cidade de Raqqa. Abu-Saleh conhece a rota de cor, e conseguimos evitar uma sequência de postos de controle do Daesh.

Conforme passamos por uma aldeiazinha, um homem num trator nos detém. Ele diz a Abu-Saleh que logo à frente há um posto recém-construído e sugere outra rota. Nosso motorista lhe agradece e acelera por uma estradinha vicinal, mas esse desvio não se revela uma boa escolha. A estrada estava avariada por causa de um ataque aéreo, e não conseguimos passar. Abu-Saleh dá a volta e retornamos à aldeia. Ele nos leva até um parente dele que mora ali. Enquanto tomamos o café da manhã, ele vai com o carro para reconhecer as cercanias.

Duas horas depois, ele volta. Ouviu de um amigo que o melhor caminho para as áreas livres é por uma aldeiazinha perto de Al-Ra'ee, portanto rumaremos para lá em vez de ir por Al-Bab. Não precisaremos ir tão longe quanto prevíramos, já que forças rebeldes recentemente avançaram e recuperaram territórios perdidos para o Daesh. Mas ainda teremos de tomar vários desvios nos próximos cem quilômetros. Depois disso, precisaremos descer e caminhar durante a noite.

Ao passarmos por Manbij, cidade a cerca de 140 quilômetros de Raqqa, ouvimos o ruído de aviões passando. Nosso motorista para o carro com uma derrapada e diz para todos descermos e nos abrigarmos. Teme que o carro seja um alvo fácil.

Logo voltamos à estrada. Os lugares por que passamos estão quase todos vazios; lembram aldeias-fantasma. Deve mesmo haver muitos fantasmas na área, haja vista o número de pessoas assassinadas aqui nos últimos anos. Seja como for, conseguimos encontrar alguém para nos receber quando finalmente chegamos à nossa próxima parada.

Normalmente faríamos em poucas horas a curta distância que viajamos, mas levamos dois dias inteiros para alcançar Al-Ra'ee. Mas Abu-Saleh nos lembra de que é melhor prevenir do que remediar.

A parte dele está feita. Ele nos entrega a outro contrabandista, cuja tarefa é nos levar até as áreas autônomas. Esta última etapa claramente levará um longo tempo. Ele nos introduz numa casa onde deveremos repousar e aguardar seu retorno. Em hipótese nenhuma, insiste, devemos sair. Ao que parece, o Daesh está especialmente ativo no momento porque o Exército Livre da Síria vem avançando por essa região.

Na casa, puxo conversa com meus colegas passageiros. O homem que julguei estar na casa dos trinta anos se chama Ali. É de Deir Ezzor e, após se formar, arranjou um emprego numa empresa petroleira, mas o Daesh assumiu o campo de petróleo e tentou obrigá-lo a se unir à causa, então ele fugiu.

Enfim reconheci o outro homem, que mal abriu a boca. Ele tem uns quarenta anos e foi membro do conselho municipal de Raqqa quando os revolucionários tomaram o poder do regime. Sei que ele foi preso pelo Daesh várias vezes; compreendo por que teve de sair da cidade.

A mulher grávida me diz que seu marido era um combatente do Exército Livre da Síria, mas teve de abandonar as forças para ajudá-la a cuidar dos filhos. Certa noite, o Daesh foi à sua casa e levou-o embora. Foi executado, acusado de apostasia. Sabe Deus o que isso realmente significa.

Achávamos que partiríamos naquela noite mesmo, mas o contrabandista aparece e nos diz que ainda não é a hora. Parece que teremos de continuar na espera.

Na noite seguinte, ele diz que é hora de prosseguir nossa jornada para a liberdade. Mas, assim que saímos da casa, somos recebidos a bala. O tiroteio está acontecendo ao longe, mas o contrabandista nos vira rapidamente, e corremos para dentro da casa. A brincadeira de esperar continua.

Todos os dias, tomamos conhecimento de que mais e mais pessoas cruzaram com sucesso as áreas tomadas por rebeldes. Mas também somos alertados de que muitos outros também foram presos ou mortos enquanto empreendiam a fuga. Continuamos aguardando.

Há outra grande questão que me preocupa. Não tenho dinheiro suficiente para pagar esse segundo contrabandista e não sei o que fazer. Acabo confessando meus temores à mulher grávida. A resposta que ela dá faz meu coração pular de alegria. Ela me oferece ajuda, caso eu lhe dê uma mão com suas crianças.

Muitas noites se passam. Ali e o homem calado conseguem atravessar, ilesos, para a área autônoma mais próxima. Eu ainda estou aqui, na companhia da grávida e de seus filhos. Mas também se somaram a nós outros fugitivos que pretendem usar a mesma rota.

Agora são dez horas, e tomamos a decisão de tentar cruzar a fronteira nesta noite. Farei tudo o que estiver ao meu alcance para proteger as crianças, até carregá-las se necessário. Estou determinado a garantir que nenhuma das duas seja ferida.

Prestamos atenção às instruções que nos dá o contrabandista, que conhece a rota que devemos tomar. Orienta para primeiro seguirmos o atalho à direita e depois à esquerda. Ao todo, precisaremos percorrer dezesseis quilômetros. Depois disso, estaremos a salvo. Mas ele nos recomenda extrema cautela a todo momento. Não devemos nos preocupar apenas com o Daesh: há minas terrestres por toda parte.

Partimos em grupos.

"Venha, irmã", eu digo à jovem mãe. "Precisamos acelerar um pouco o passo." Ouve-se uma série de disparos ao longe, e uma cascata de projéteis voa em nossa direção. Eles devem ter visto a gente vir de uma longa distância.

Quando o pânico começa a aumentar, avisto uma grande rocha. Deve ser a mesma que, segundo nos contou o contrabandista, assinala uma referência em nosso caminho rumo à segurança.

A caminhada é horripilante. Carregando uma criança debaixo de cada braço, estou assustado demais para olhar para trás. Toda hora eu receio pisar numa mina. Se isso acontecer, estaremos todos mortos. Mas finalmente chegamos a uma área controlada pelo Exército Livre da Síria. Graças a Deus!

Ajoelhando cautelosamente no chão, eu vasculho a paisagem. De repente, vejo um homem armado se aproximar de nós numa motocicleta. Ele está a certa distância, e é difícil discernir de que lado da guerra está. Não parece um combatente do Daesh, mas não dá para ter certeza. Tento pensar no que fazer, consciente de que um movimento em falso agora pode custar nossas vidas.

Saímos de sua vista mergulhando atrás de algumas rochas, mas a criança mais nova começa a chorar a plenos pulmões.

Consigo ouvir a moto cada vez mais próxima. Sinto que está quase em cima de nós.

"Mostrem o rosto. Agora. Não tenham medo. Somos irmãos, somos do Exército Livre da Síria."

Ai, meu Deus. Não consigo crer no que estou ouvindo. Justo quando estou tentando assimilar tudo isso, vários projéteis explodem no chão ao nosso lado.

Acontece que nos encontramos numa espécie de terra de ninguém, uma região limítrofe, entre duas forças diferentes. O motoqueiro grita: "Depressa, temos de ir!".

Ele diz que primeiro vai levar a mulher e as crianças, para depois voltar para me buscar. Pergunto à mulher se está preparada para ir, mas ela não responde. Apenas pede ao soldado que jure para nós que ele é um revolucionário e não um membro do Daesh. Ele jura às pressas e depois começa a gritar, dizendo que não há mais tempo para falatório porque as bombas se aproximam cada vez mais.

Finalmente o soldado do Exército Livre da Síria volta para o local onde eu o aguardo. Subo na moto, e sacolejamos e rugimos a caminho das linhas de frente do ELS. Assim que chegamos ao nosso destino, sinto como se houvesse renascido. Ali diante de mim há alguns velhos amigos e colegas de ativismo. Minha alegria é simplesmente indescritível.

Ao tomarem conhecimento de que venho de uma área controlada pelo Daesh, muitas pessoas fazem perguntas. Sei que elas ainda têm amigos e parentes em Raqqa e estão desesperadas para saber como estão sobrevivendo.

Estou muito cansado e realmente preocupado com minha família. O risco que eu corro pode ter acabado, mas o de minha mãe e meus irmãos ainda é latente. Não consigo parar de pensar neles.

Pouco tempo depois, encontro meu caro amigo Mokhles. De alguma forma, conseguimos manter contato ao longo desses últimos dois anos terríveis. "Samer", ele grita, "você está vivo! Você está livre!" Ele chora. Eu também. Eu me jogo nos braços dele.

Um pouco mais calmos, rumamos a um cibercafé. Faço contato com Malek. "Aqui é o Samer", digo. "Por favor, avise minha família que consegui sair e estou inteiro. Consegui. Acabou."

fim de maio de 2016

Cada pessoa começa a jornada de sua vida tendo em mente um sonho que espera realizar algum dia. Os muitos obstáculos ao longo do caminho costumam refrear algumas pessoas, ao passo que outras seguem adiante.

Estou tentando encontrar o que restou do meu sonho. Ele vem se dissipando em meio a um esmagador sentimento de desilusão.

Enquanto escrevo estas palavras, sentado no chão de terra, estou cercado de milhares de refugiados. Assim como eu, foram forçados a fugir do lar, abandonando os próprios sonhos aniquilados.

Ainda tenho esperança no povo de meu país. Essa esperança brota daqueles que arriscam a própria vida para combater a injustiça e a opressão. Mas, nas atuais circunstâncias, não estou convicto de que os sacrifícios que tais pessoas fizeram tenham realmente valido a pena.

Mokhles me levou a um campo que agora é a casa de muitas pessoas vindas do leste da Síria, que foi onde nasci. Encontrei Abu-Ahmed, que fugiu quando o Daesh começou a persegui--lo. Ele é muito humilde — característica comum a boa parte da gente de nossa região. Quando entramos em sua tenda, seu rosto é dominado por uma expressão constrangida. Ele pouco tem a nos oferecer, e mal há onde sentar. A maior porção do aposento é ocupada por seu filho inválido. Sua esposa está grávida de seis meses e também precisa de espaço para repousar.

Abu-Ahmed nos conta que seu irmão tinha dezessete anos quando foi condenado à morte por supostamente ter conspirado contra o Daesh. A família não soube da acusação, até que ouviu, nos alto-falantes, o anúncio de sua execução. Abu-Ahmed diz que seu irmão foi ingênuo. Foi pego num cibercafé com uma fotografia incriminadora em seu celular. A fotografia mostrava um amigo que foi martirizado combatendo o Daesh antes que o grupo tomasse o controle de Raqqa.

Permaneci em minha cidade por quanto tempo me foi possível. Foi nela que ganhei as mais belas memórias que tenho, e nela queria permanecer para ajudá-la nesse período de necessidades. Almejava suportar os tempos difíceis. Eu estava preparado para também morrer lá.

Não fosse por minha mãe, eu nunca teria saído. Mas ela estava com muito medo. Sabia que eu estava na mira do Estado Islâmico e não demoraria muito para que puxassem o gatilho. Assim começou a minha vida no exílio.

A área em que me encontro está cheia de gente como eu. Milhares de pessoas que fugiram de casa, escapando seja do Daesh, seja do regime de Assad. Seu sofrimento, e também o meu, ainda não acabou. Tampouco está perto de terminar.

Não há comida nem remédios suficientes no acampamento, e os aviões de guerra do regime estão sempre sobrevoando nossas cabeças.

Muita gente aqui me conta que deseja estar morta. Muita gente espera conseguir alcançar a Turquia, mas a fronteira está completamente fechada. É inútil. Muita gente foi mutilada pela máquina de guerra do regime. Muita gente perdeu pernas e braços. Esses ferimentos têm um impacto dramático nessas pessoas e naquelas que se importam com elas. Cada pessoa que se encontra aqui viveu um terror. E, mesmo assim, em vez de chorar ou praguejar, elas todas tentam ajudar umas às outras.

Carrego numa pequena sacola muitas de minhas memórias. Retratos de pessoas e fotos de lugares. Bocados esparsos e aleatórios de meu passado, que provavelmente nem existem mais. Entre eles, a fotografia de um velho amigo da escola. Até onde sei, pode ser que ele já esteja morto. Também tenho uma foto do nosso vizinho, que morreu com os filhos durante um ataque aéreo; uma foto de meu velho amigo, que foi crucificado pelo Daesh. Eis uma foto de nossa casa destruída. Mais algumas retratando nossa rua, agora arruinada e vazia.

Entretanto, algumas das imagens mais estimadas, eu guardo na cabeça. A imagem da bela garota com quem passei os momentos mais felizes da minha vida até que o destino nos separasse. De colegas que estudaram comigo. Não tenho nenhuma esperança de voltar a vê-los.

Olhando ao meu redor, tento afastar minha mente de tais lembranças. O momento presente está tomado por problemas, e ao me comprometer com eles eu ajudo a libertar minha mente do passado. Agarro-me à esperança de que, embora todas essas preciosas memórias estejam agora perdidas, posso encontrar novas recordações caso algum dia eu consiga voltar à minha terra. É essa a minha esperança.

Alguns colegas ativistas vêm ajudando as pessoas num dos acampamentos na fronteira entre a Síria e a Turquia. Eu me reuni com eles, mas não fiz questão de travar contato especial com nenhum. Não quero fazer amigos. É uma nova regra que agora aplico à minha vida: não se apegue demais às pessoas, porque você provavelmente não ficará muito tempo com elas. Os acontecimentos logo vão separá-los.

Numa noite chuvosa, uma mulher berra. É a viúva de um combatente do Exército Livre da Síria que foi executado pelo Daesh. Ela se escondeu nesta área de Alepo, que é controlada pelas forças do ELS. Muitos acampamentos surgiram para acomodar pessoas como ela.

A mulher está prestes a dar à luz, bem aqui, no descampado. Não temos hospital, nem clínica, nem mesmo um único médico. A área está completamente devastada. Encontra-se sitiada pelas forças do regime, pelas milícias curdas e pelo Daesh.

Algumas mulheres tentam ajudá-la, mas não possuem nada além das mãos. Felizmente, com a graça de Deus, elas têm êxito, e a mulher concebe.

Os primeiros choramingos de seu bebê abafam tudo o mais, até mesmo o distante ribombar de disparos e ataques aéreos.

Talvez o bebê chore porque quer o pai desaparecido, ou apenas porque deseja um berço onde deitar. Ou estaria implorando por um fim ao contínuo massacre e à destruição e suplicando a Deus que o leve de volta ao útero da mãe, para longe deste lugar?

Você tem o direito de dizer todas essas coisas, pequenino. Mas muitos dos que ouvem seus lamentos veem sua chegada como um milagre. Você traz esperança à sua família, e essa esperança se dissemina aos outros. Eu me pego pensando: talvez algum dia você seja a nossa salvação, pequenino.

O mundo em que você nasceu não é assim tão diferente daquele em que eu cresci. Embora tivéssemos paz, ninguém tinha nenhum direito garantido. Ainda se vê derrota nos olhos dos nossos pais e desespero nos olhos das nossas mães. Mesmo com a paz que tivemos, pagamos um alto preço por ela. Cinco anos de revolução não bastam para enxotar um regime tirânico que nos flagelou por quarenta anos.

O fato de que o mundo todo está apenas de prontidão, só observando indolente o que está acontecendo, não surpreende mais ninguém por aqui. Todos que encontro, seja uma criança, seja um idoso que testemunhou muitos horrores, depositam suas esperanças em nossos próprios revolucionários. O mundo exterior não respondeu aos nossos chamados.

Alguns países fazem algo ainda pior do que apenas esperar: fornecem ajuda ao regime para matar seu povo. Continuam fazendo isso enquanto milhares de famílias vivem em campo aberto sem nada para protegê-las da chuva, do sol e das bombas.

Acredito que o pior crime que um país pode cometer é priorizar seu interesse próprio em vez da vida das pessoas inocentes. Mas talvez seja ultraje ainda maior ajudar grupos criminosos como o regime de Assad a acobertar seus crimes. Toda pessoa informada e perspicaz sabe quanto está sofrendo a nossa gente.

Nós nos apegamos à ideia de que, no fim, o bem vai prevalecer. A história mostrará às gerações futuras o que estava certo e o que o estava errado. Com sorte, o mundo vai tomar conhecimento disso e impedir que volte a acontecer. Como diz um dos nossos velhos ditados: "Quem planta uma boa semente colhe uma boa árvore".

Tudo o que nos restou foi a esperança. A esperança de que nosso país conseguirá se reconstruir. A esperança de que os sacrifícios levados a cabo por nosso povo poderão, finalmente, banir a crueldade e o mal que há muito espreitam nossa terra.

Por ora, esperar é tudo o que podemos fazer.

Publicado originalmente como *The Raqqa diaries* por Hutchinson.
Hutchinson faz parte do grupo de empresas Penguin Random House.

Texto fixado conforme as regras do Acordo Ortográfico da Língua Portuguesa
(Decreto Legislativo no 54, de 1995).

Título original: *The Raqqa diaries: escape from "Islamic State"*

Editora responsável: Amanda Orlando
Editora assistente: Elisa Martins
Revisão: Laila Guilherme e Matheus Perez
Capa: Alberto Mateus
Diagramação: Crayon Editorial
Ilustrações: Scott Coello

1ª edição, 2017
2ª reimpressão, 2021

CIP-BRASIL. CATALOGAÇÃO NA PUBLICAÇÃO
SINDICATO NACIONAL DOS EDITORES DE LIVROS, RJ

S179d

Samer
Diários de Raqqa : A história real do estudante que desafiou o Estado Islâmico, foi jurado de morte e conseguiu fugir de uma cidade sitiada / Samer ; tradução Fábio Bonillo. - 1. ed. - São Paulo : Globo, 2017. il.

Tradução de: The Raqqa diaries : escape from "Islamic State"
ISBN 978-85-250-6466-0

1. Movimentos de protesto - Síria - História - Séc. XXI. 2. Síria - História - Protestos, 2011 - Narrativas pessoais. 3. Prisioneiros e prisões - Síria. I. Bonillo, Fábio. II. Título.

17-44008 CDD: 956.91
CDU: 94(569.3)

Direitos de edição em língua portuguesa para o Brasil
adquiridos por Editora Globo S. A.
Rua Marquês de Pombal, 25 — 20230-240 — Rio de Janeiro — RJ
www.globolivros.com.br

Este livro, composto na fonte Karmina Sans,
foi impresso em papel Offset 120 g/m², na gráfica Elyon.
São Paulo, Brasil, dezembro de 2021.